第2版

あたらしい 数学の教科書

Python(パイソン)で動かして学ぶ!

機械学習・深層学習に必要な基礎知識

我妻 幸長 著

SE
SHOEISHA

はじめに

本書は、誰にでも開かれた
AI向け数学の本です。
「AIについて学びたいけど…」と、
数学に敷居の高さを感じる方に
特におすすめです。
Pythonのコードを書きながら、
一歩一歩丁寧にAI向け数学を
学んでいきましょう。
本書により、
少しでも多くの方に
AIを学ぶ機会を提供できたら
嬉しく思います。

2025年5月吉日

我妻幸長

本書内容に関するお問い合わせについて

このたびは翔泳社の書籍をお買い上げいただき、誠にありがとうございます。弊社では、読者の皆様からのお問い合わせに適切に対応させていただくため、以下のガイドラインへのご協力をお願いしております。下記項目をお読みいただき、手順に従ってお問い合わせください。

お問い合わせされる前に

弊社Webサイトの「正誤表」をご参照ください。これまでに判明した正誤や追加情報を掲載しています。

正誤表　https://www.shoeisha.co.jp/book/errata/

お問い合わせ方法

弊社Webサイトの「書籍に関するお問い合わせ」をご利用ください。

書籍に関するお問い合わせ　https://www.shoeisha.co.jp/book/qa/

インターネットをご利用でない場合は、FAXまたは郵便にて、下記“(株) 翔泳社愛読者サービスセンター”までお問い合わせください。

電話でのお問い合わせは、お受けしておりません。

回答について

回答は、お問い合わせいただいた手段によってご返事申し上げます。お問い合わせの内容によっては、回答に数日ないしはそれ以上の期間を要する場合があります。

お問い合わせに際してのご注意

本書の対象を超えるもの、記述個所を特定されないもの、また読者固有の環境に起因するご質問等にはお答えできませんので、予めご了承ください。

郵便物送付先およびFAX番号

送付先住所　〒160-0006　東京都新宿区舟町5
FAX番号　03-5362-3818
宛先　(株) 翔泳社 愛読者サービスセンター

INTENDED AUDIENCE 本書の対象読者

本書は機械学習や深層学習といったAI開発に必要な数学の基礎知識について、基礎から学べる書籍です。以下のような方を対象としています。

- 数学がAIや機械学習を勉強する際の障壁になっている方
- ビジネスでAIを扱う必要に迫られた方
- 数学を改めて学び直したい方
- 文系の方、非エンジニアの方で数学の知識に自信のない方
- コードを書きながら数学を学びたい方

以下のような知識を持っているとより理解が深まります。

- 基礎的なパソコンの操作
- 基礎的なPythonのプログラミング経験

DEVELOPMENT ENVIRONMENT 本書のサンプルの動作環境

本書の各章のサンプルは 表1 の環境で、問題なく動作することを確認しています。

表1 実行環境

項目	内容
OS	macOS Sequoia 15.1/Windows 11
Python	3.12.7
Anaconda	Anaconda 2024.10-1
NumPy	1.26.4
matplotlib	3.9.2

ATTACHED DATA AND MEMBER BENEFIT DATA 付属データと会員特典データについて

付属データのご案内

付属データは、以下のサイトからダウンロードして入手いただけます。

- 付属データのダウンロードサイト

URL https://www.shoeisha.co.jp/book/download/9784798185668

注意

付属データに関する権利は著者および株式会社翔泳社が所有しています。許可なく配布したり、Webサイトに転載することはできません。

付属データの提供は予告なく終了することがあります。あらかじめご了承ください。図書館利用者の方もダウンロード可能です。

会員特典データのご案内

会員特典データは、以下のサイトからダウンロードして入手いただけます。

- 会員特典データのダウンロードサイト
  URL https://www.shoeisha.co.jp/book/present/9784798185668

注意

会員特典データのダウンロードには、SHOEISHA iD（翔泳社が運営する無料の会員制度）への会員登録が必要です。詳しくは、Webサイトをご覧ください。

会員特典データに関する権利は著者および株式会社翔泳社が所有しています。許可なく配布したり、Webサイトに転載することはできません。

会員特典データの提供は予告なく終了することがあります。あらかじめご了承ください。

図書館利用者の方もダウンロード可能です。

免責事項

付属データおよび会員特典データの記載内容は、2025年5月現在の法令等に基づいています。

付属データおよび会員特典データに記載されたURL等は予告なく変更される場合があります。

付属データおよび会員特典データの提供にあたっては正確な記述につとめましたが、著者や出版社などのいずれも、その内容に対してなんらかの保証をするものではなく、内容やサンプルに基づくいかなる運用結果に関してもいっさいの責任を負いません。

付属データおよび会員特典データに記載されている会社名、製品名はそれぞれ各社の商標および登録商標です。

著作権等について

付属データおよび会員特典データの著作権は、著者および株式会社翔泳社が所有しています。個人で使用する以外に利用することはできません。許可なくネットワークを通じて配布を行うこともできません。個人的に使用する場合は、ソースコードの改変や流用は自由です。商用利用に関しては、株式会社翔泳社へご一報ください。

2025年5月
株式会社翔泳社　編集部

目次

第2章 Pythonの基礎 021

第3章 数学の基礎 061

第4章 線形代数 099

第5章 微分 149

第6章 確率・統計 187

第7章 数学を機械学習で実践 249

Appendix さらに学びたい方のために 289

序章 イントロダクション

ヒトとAI、もしくは地球とAIが共生する未来は、それほど遠くないように思えます。ビジネス、アート、生命科学、さらには宇宙探索に到るまで、様々な分野でAIは活用されはじめ、我々の生活の中にもAIは既に溶け込みはじめています。この背景には、コンピュータの計算速度の向上やインターネットによるデータの集積などもありますが、世界中の研究者によって脈々と続けられてきたアルゴリズムの研究によるところも大きいです。

しかしながら、AIのアルゴリズムは多くの人々にとって敷居の高いものです。AIのアルゴリズムを理解するためには、線形代数や微分、確率・統計などの数学をベースに、プログラミング言語を使ってソースコードを書いていく必要があります。

様々なAIのフレームワークが登場したおかげで、このようなアルゴリズムを理解しなくてもAIを利用することはできるのですが、AIを真に理解するためには、数学とプログラミング言語を利用してアルゴリズムを基礎から理解する必要があります。

本書は、このようなAIを学ぶための障壁を少しでも下げるために、AI向けの数学をプログラミング言語Pythonとともに基礎から解説していきます。手を動かしながら体験ベースで学ぶので、AIを学びたいけど数学に敷居の高さを感じる方に特におすすめです。

最初に、イントロダクションとして本書の特徴、AIの概要、AI向け数学の概要、そして本書の使い方について解説します。

0.1 本書の特徴

本書は、誰にでも開かれた人工知能（AI）向け数学の本です。線形代数、微分、確率・統計を基礎から少しずつ丁寧に解説するので、人工知能に必要な数学を無理なく着実に身に付けることができます。

本書の最大の特徴は、AI向けの数学をコードを書きながら学べることです。プログラミング言語Pythonのコードを書いて、手を動かしながら数学を学習します。これにより、数式の意味を体験を通して理解できます。Pythonに関しては、1つの章で本書に必要な範囲を解説するので、本書によりプログラミング未経験の方でも問題なくAI向けの数学を学ぶことができます。

また、初心者に優しいことも本書の特徴です。扱う数学の難易度は緩やかに上昇するので、無理なく着実にAIに必要な数学の知識とセンスを身に付けることができます。

本書では、紙と鉛筆ではなく文書処理システムのLaTeXのコードにより数式を記述します。これにより、複製可能で見栄えのよい数式を手軽に記述することが可能です。LaTeXの使い方については、1つの節を割いて丁寧に解説します。また、数学の概念の検証にはPythonのコードを用います。コードを書いて結果を検証することにより、数式の意味を効率よく把握することができます。

本書で用いる開発環境、AnacondaとJupyter Notebookは簡単にダウンロード、インストールすることができます。環境構築の敷居が低いため、プログラミング未経験の方でも問題なく学ぶことができます。

本書によりAIを本格的に学ぶための準備ができます。AIを学ぶための障壁を低くし、可能な限り多くの方がAIを学ぶことの恩恵を受けられるようにするのが本書の目的です。本書を読了した方は、学習意欲が刺激されて、さらにAIや数学のことを学びたくなっているのではないでしょうか。

0.2 本書でできるようになること

本書を最後まで読んだ方は、以下のことが身に付きます。

- AIを学習するための数学的下地が身に付きます。
- 数式をコードに落とし込むことができるようになります。

- 線形代数の数式を理解し、Pythonのコードで演算ができるようになります。
- 微分の知識が身に付き、数式の意味が理解できるようになります。
- 確率・統計により、データの傾向を捉えたり、世界を確率として捉えることができるようになります。

なお、本書を読み進めるに当たって以下の点にご注意ください。

- Pythonの文法の解説は本書で必要な範囲に留めています。Pythonを体系的に学びたい方は、他の書籍などを参考にしてください。
- 本書で扱う数学の範囲は、AIで有用な分野のみです。
- 本書の解説は、厳密性よりもAIへの有用性を重視しています。

0.3 本書の対象

P.vでも触れていますが本書の対象は、例えば以下のような方々です。

- 数学がAIや機械学習を勉強する際の障壁になっている方
- AIをビジネスで扱う必要に迫られた方
- 数学を改めて学び直したい方
- 文系の方、非エンジニアの方で数学の知識に自信のない方
- コードを書きながら数学を学びたい方

前提として、中学程度の数学の知識があれば大丈夫です。

0.4 人工知能（AI）とは?

本書は人工知能向けの数学について解説しますが、そもそも人工知能とは何でしょうか？　人工知能（artificial intelligence、AI）とは、読んで字のごとく人工的に作られた知能のことです。それでは、そもそも知能とは何でしょうか？知能には様々な定義の仕方があるのですが、環境との相互作用による適応、物事の抽象化、他者とのコミュニケーションなどの、様々な脳が持つ知的能力のこと

だと考えることができます。

このような「知能」が、生物を離れて人工的なコンピュータの中に再現されようとしています。まだ汎用性という意味ではヒトの知能にははるかに及びませんが、指数関数的に向上するコンピュータの演算能力を背景として、人工知能は今も発展を続けています。

既に、チェスや囲碁、医療用の画像解析などのいくつかの分野では、人工知能はヒトを上回るパフォーマンスを発揮しはじめています。ヒトの脳のような極めて汎用性の高い知能を実現することはまだまだ難しいですが、既にいくつかの領域において人工知能は人間の代わりを果たしつつあります。人工知能と今後どのように上手に付き合っていくのか、それは人類が抱えている大きなテーマとなることは間違いないでしょう。特に発展著しい生成AIの技術は、やがて人間と比べて遜色のないAI（汎用人工知能、AGI）の実現につながっていくかもしれません。

人工知能はArtificial Intelligence（AI）の訳で、1956年にダートマス会議においてはじめてこの言葉が使用されました。人工知能の定義は人によって多少の揺らぎがありますが、大まかにいって以下のような定義の仕方が考えられるかと思います。

- 自ら考える力が備わっているコンピュータのプログラム
- コンピュータによる知的な情報処理システム
- 生物の知能、もしくはその延長線上にあるものを再現する技術

さて、人工知能には「強いAI」（Strong AI）と「弱いAI」（Weak AI）という概念があります。強いAIは「汎用人工知能」（Artificial General Intelligence、AGI）とも呼ばれ、ヒトの知能に迫る人工知能のことです。例えば、ドラえもんや鉄腕アトムなどの想像上のAIは強いAIに当たります。

弱いAIは「特化型人工知能」（applied AI、narrow AI）とも呼ばれ、限定的な問題解決や推論を行うための人工知能です。例えば、近年注目を集めている画像認識や自動運転、ゲーム用の人工知能などは、すべて弱いAIに当たります。

現在地球上で実現されているのは、この弱いAIのみで、強いAIは実現されていません。しかしながら、ディープラーニングなどのAI技術を用いることで、極めて部分的にですが、ヒトの知能の一部が再現されています。さらに、近年躍進している生成AIは、文章生成や画像生成などの様々な分野で人間に迫る、あるいは人間を超える能力を発揮しつつあります。

機械学習（machine learning）とは、人工知能の分野の1つで、ヒトに備わる

学習能力と似たような機能をコンピュータで再現しようとする技術のことです。機械学習は、様々なテクノロジー系の企業が、近年特に力を入れている分野で、例えば、検索エンジン、スパムの検出、マーケットの予測、DNAの解析、音声や文字などのパターン認識、医療、ロボットなど幅広い分野で応用されています。機械学習には様々な手法がありますが、応用する分野の特性に応じて、機械学習の手法も適切に選択する必要があります。

機械学習の手法ですが、これまでに様々なものが考案されています。近年様々な分野で高いパフォーマンスを示し注目を集めているディープラーニングは、機械学習の一手法であるニューラルネットワークをベースにしています。

以上のような人工知能技術の発展のもと、ヒトが創り出した知能が世界により大きな影響を与える未来が来るのは間違いないでしょう。

0.5 人工知能向けの数学

数学を活用することで、人工知能に必要な処理をシンプルで美しい数式にまとめることができます。

人工知能に必要な数学の分野は偏っているので、本書では特定の数学の領域のみ解説します。本書で扱う数学は、ベクトルや行列、テンソルなどを扱う線形代数、および常微分や偏微分、連鎖律などを扱う微分、標準偏差や正規分布、尤度などを扱う確率・統計です。

それでは、各分野について概要を解説します。

まずは、線形代数です。線形代数は、多次元の構造を持った数値の並びを扱う、数学の分野の1つです。そのような多次元の構造には、スカラー、ベクトル、行列、テンソルと呼ばれるものがあります。線形代数により、非常に多くの数値に対する処理を、簡潔な数式で書くことができます。さらに、Pythonの外部パッケージであるNumPyを使えば、簡単に線形代数の数式をコードに落とし込むことができます。

次に、微分の概要を解説します。微分とは、一言でいうと関数の変化の割合のことです。例えば、動く物体の位置を時間で微分するとその物体の速度になります。

人工知能においては、多変数関数や合成関数などの、少々込み入った関数を微分する必要があります。難しく感じるかもしれませんが、本書ではこれらを一歩一歩丁寧に解説していきます。
微分はイメージで把握することが大事なので、頭の中に微分のイメージを描けるようになりましょう。

また、人工知能においては確率・統計の分野も重要です。確率は、世界を「起こりやすさ」として捉えます。そして、統計はデータの傾向や特徴を様々な指標で捉えます。
これらにより、データの全体像を捉え、データから未来を予測することができるようになります。
確率・統計は、数式をプログラムのコードに落とし込み、グラフを描画すると理解が大きく進みます。

本書では、可能な限り数式をコードに落とし込みます。これは、数式という人間が数学を表記するための言語を、プログラミング言語というヒトとコンピュータがコミュニケーションするための言語に変換することを意味します。
これにより、数式の計算を手軽に試行錯誤することが可能になります。数式に基づく計算を手計算で行うと大変なのですが、コードを使えば一瞬で結果を得ることができます。様々な条件で数式に基づく計算を行うことで、数式の意味を効率よく理解することができます。

本書でコードの記述に使用するプログラミング言語はPythonです。Pythonは人工知能の分野でメジャーですが、敷居はそれほど高くありません。シンプルな表記で、様々な数式を実装することができます。
また、PythonではNumPyという外部パッケージを使って簡潔な表記で高速な演算を行うことができます。そして、matplotlibという外部パッケージで結果をグラフとして可視化することができます。

以上のように、コードを使うことは数学の理解にとても役に立ちます。プログラミング言語Pythonを使って、一緒にAI向けの数学を学んでいきましょう。

0.6 本書の使い方

本書は、可能な限り多くの方がAI向けの数学を学べるように、プログラミングで手を動かしながら少しずつ丁寧に学べるように設計されています。また、扱うプログラミングのコードは高度な抽象化よりも直感的なわかりやすさを重視しています。変数名やコメントにも注意を払い、可能な限りシンプルで可読性の高いコードを心がけています。

本書は一応読み進めるだけでも学習が進められるようになっていますが、できればPythonのコードを動かしながら読み進めるのが望ましいです。本書で使用しているコードはWebサイトからダウンロード可能ですが、このコードをベースに、試行錯誤を繰り返してみることもお勧めです。実際に自分で数式をコードに落とし込んでみることで、数学の理解が進むとともに、数学に対するさらなる興味が湧いてくることかと思います。

本書では開発環境としてAnaconda + Jupyter Notebookを使用しますが、これらのインストール方法については第1章で解説します。本書で使用するPythonのコードはJupyter Notebook形式のファイルとしてダウンロード可能です。このファイルを使って、解説するコードをご自身の手で実行することもできますし、演習に取り組むこともできます。

また、このファイルにはLaTeX形式で数式を書き込むことができます。その気になれば、紙と鉛筆をいっさい使わずに数学を学習することも可能です。

本書はどなたでも学べるように、少しずつ丁寧な解説を心がけておりますが、一度の説明ではわからない難しい概念があるかもしれません。

そういうときは、決して焦らず、時間をかけて少しずつ理解することを心がけましょう。内容はページを進めるにつれて少しずつ難しくなっていきますが、理解が難しいと感じた際は、必要に応じて前のレクチャーに戻って復習することをお勧めします。

専門家だけではなく、すべての人にとってAIを学ぶことは大きな意義のあることです。好奇心や探究心に任せて気軽にトライアンドエラーを繰り返し、試行錯誤ベースで数学の考え方を身に付けていきましょう。

第1章 学習の準備をしよう

本章では、学習の準備として主に開発環境の構築とその使い方について解説します。開発環境としてAnacondaをインストールし、Jupyter NotebookでPythonのコードを動作させます。また、サンプルのダウンロードとそれを使った学び方についても解説します。

1.1 Anacondaのインストール

この節では、Anacondaの導入方法を解説します。Anacondaを導入することで、Pythonで機械学習をはじめるための敷居が大きく下がります。

Anacondaは、様々な数値計算、機械学習用の外部パッケージを予め内蔵しているPythonのディストリビューションです。これを利用することで簡単にPythonでコーディングを行う環境を整えることができます。

1-1-1 Anacondaのダウンロード

Anacondaには、Windows用、macOS用、Linux用があります。以下のAnacondaのダウンロードサイト（Free Download）にアクセスします。

- Anacondaのダウンロードサイト（Free Download）
  URL https://www.anaconda.com/download

無料でダウンロードするにはメールアドレスを登録する必要があります。「Provide email to download Distribution」に「Email Address」を入力して（図1.1 ❶）、「Agree…」にチェックを入れ（図1.1 ❷）、「Submit」をクリックします（図1.1 ❸）。「Success!」が表示されたら（図1.1 ❹）、登録したメールアドレスを確認して「Download Now」をクリックします（図1.1 ❺）。するとインストーラがダウンロード可能な「Download Now」のページが表示されます。

インストーラの「Download」ボタンがあります（図1.1 ❻）。お使いのPCのOSの種類や、CPUの64ビット/32ビットの違いによってインストーラは自動的に判別されます。なお、各OSの欄からインストーラを選択してダウンロードすることも可能です（図1.1 ❼）。

Windowsの場合はexeファイル、macOSの場合はpkgファイル、Linuxの場合はシェルスクリプトがダウンロードされます（本書では、Anaconda3-2024.10-1のバージョンを利用しています）。

MEMO

Anacondaの過去のバージョンを取得する方法

これまでにリリースされたAnacondaのバージョンは以下のサイトからダウンロードできます。本書で利用しているAnaconda3-2024.10-1のバージョンも用意されています。

URL https://repo.anaconda.com/archive/

図1.1 Anacondaのダウンロード

1-1-2 Anacondaのインストール

Windows、もしくはmacOSの場合はダウンロードしたインストーラのファイルをダブルクリックして、インストーラの指示に従いインストールを行いましょう。その際の設定はすべてデフォルトのままでかまいません（手順は割愛します）。

お手元の環境がLinuxの場合は、ターミナルを起動して該当のディレクトリに移動し、シェルスクリプトを実行します。以下は、64ビット版Ubuntuの場合のインストールの手順です。

●［ターミナル］

```
$ bash ./Anaconda3-（日付）-Linux-x86_64.sh
```

上記により対話型インストーラが起動しますので、これに従いインストールを行いましょう。インストールの終了後、念のために次のパスをエクスポートしておきましょう。

●［ターミナル］

```
$ export PATH=/home/ユーザ名/anaconda3/bin:$PATH
```

以上で、インストールは完了になります。同時にPython関連ファイル、およびAnaconda Navigatorというデスクトップアプリがインストールされます。

1-1-3 Anaconda Navigatorの起動

次に、Anaconda Navigatorを起動しましょう。Windowsの場合はスタートメニューから「すべて」→「Anaconda (anaconda3)」→「Anaconda Navigator」をクリックします。macOSの場合は「アプリケーション」フォルダから「Anaconda-Navigator.app」を起動します。Linuxの場合は、ターミナルから以下のコマンドでAnaconda Navigatorを起動します。

●［ターミナル］

```
$ anaconda-navigator
```

起動すると、図1.2のようにAnaconda Navigatorのトップ画面が表示されます。

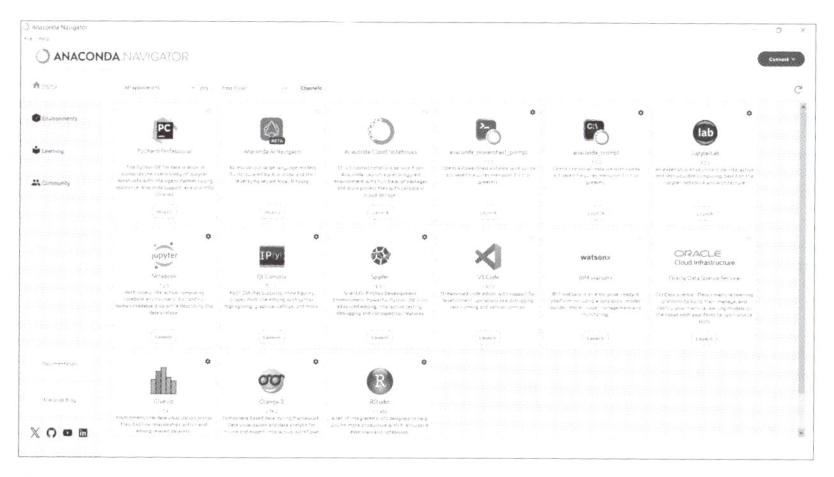

図1.2 Anaconda Navigatorの画面

Jupyter Notebookは、この画面から起動することができます。

1-1-4 NumPyとmatplotlibのインストールの確認

本書に記載されたコードを実行するためには、NumPyおよびmatplotlibというパッケージがインストールされている必要があります。

まずは、これらのパッケージがインストールされているかどうかを確認しましょう。Anacondaではデフォルトでこれらのパッケージがインストールされていることもあります。

Anaconda Navigatorのトップ画面で、Environmentsをクリックします（図1.3）。

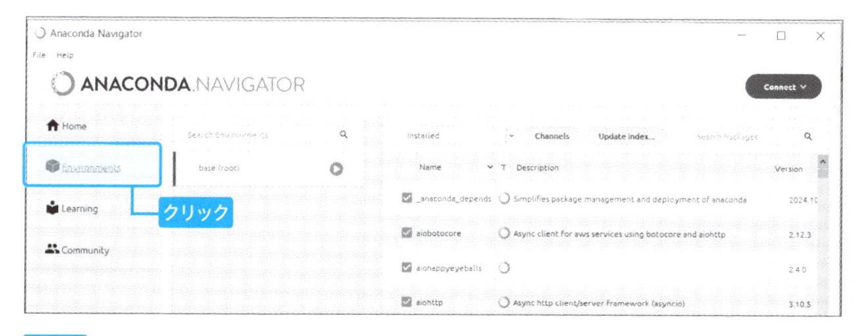

図1.3 Environmentsの画面

この画面の中央上部にプルダウンメニューがありますので、ここでInstalledではなく「Not installed」を選択します（図1.4 ❶）。そして右側の検索窓に「numpy」と入力して検索します（図1.4 ❷）。

NumPyがインストールされていれば何も表示されません（図1.4 ❸）。

もしNumPyがインストールされていない場合、検索結果に「numpy」と表示されます。

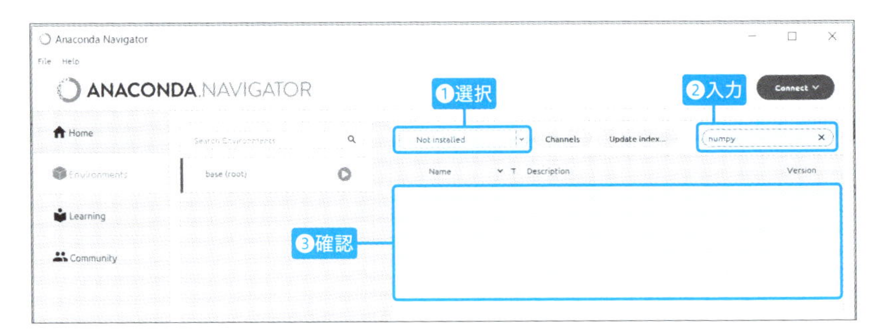

図1.4 NumPyがインストールされている場合

検索結果にnumpyが表示されている場合、すなわちNumPyがインストールされていない場合は、numpyの左のチェックボックスにチェックを入れて（図1.5 ❶）、右下の「Apply」ボタンをクリックしましょう（図1.5 ❷）。新しいウィンドウが表示されますので、このウィンドウの「Apply」ボタンがクリック可能になり次第、クリックしてNumPyのインストールを行います。

matplotlibに関しても、同様に「matplotlib」と入力して検索を行い（図1.6 ❶❷）、検索結果に表示された場合はインストールを行います（図1.6 ❸❹）。

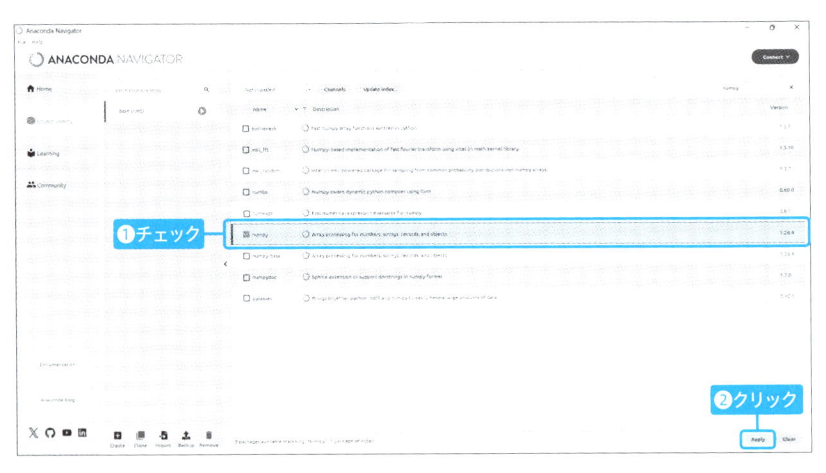

図1.5 NumPyがインストールされていない場合

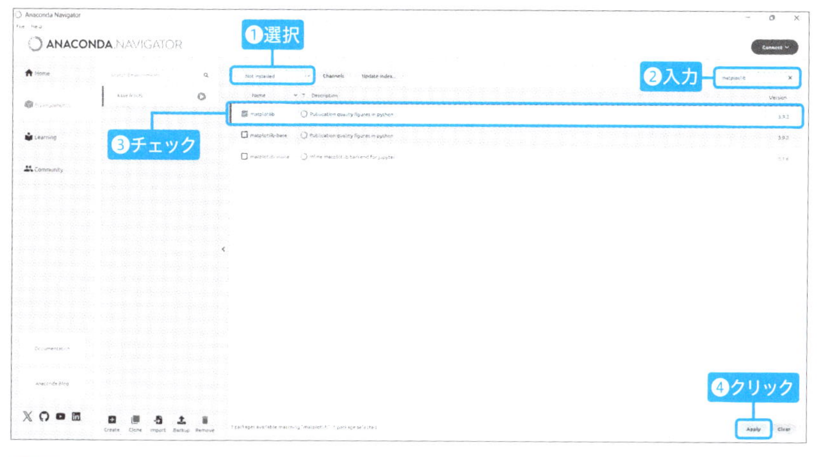

図1.6 matplotlibがインストールされていない場合

1.2 Jupyter Notebookの使い方

AnacondaにはJupyter Notebookというブラウザ上で動作するPythonの実行環境が含まれています。Jupyter NotebookはPythonのコードとその実行結果、および文章や数式などを1つのノートブックファイルにまとめることができます。さらに、実行結果をグラフとして簡単に表示することが可能です。

本書で解説するPythonのサンプルコードは、このJupyter Notebookの形式で保存されています。

1-2-1 Jupyter Notebookの起動

それでは、Jupyter Notebookを起動しましょう。Anaconda Navigatorのトップ画面を下にスクロールすると、図1.7に示すようにJupyter Notebookの「Launch」ボタンがありますので、このボタンをクリックします。ボタンが「Install」になっている場合は、Jupyter Notebookがインストールされていないのでこのボタンをクリックしてインストールを行いましょう。

図1.7 Jupyter Notebookの起動

「Launch」ボタンによりWebブラウザが自動的に起動し、図1.8の画面が表示されます。

図1.8 Jupyter Notebookのダッシュボード

この画面を「ダッシュボード」といいます。この画面では、フォルダの移動や作成、ノートブックファイルの作成などが可能です。起動時にはお手元の環境のホームフォルダの内容が表示されます。

1-2-2 Jupyter Notebookを使ってみる

Jupyter Notebookはブラウザ上で動作するので、操作方法はお手元の環境によりません。とりあえず、Jupyter Notebookに慣れるためにPythonの簡単なプログラムを動かしてみましょう。

最初にノートブックを作成します。ノートブックを作成するフォルダに移動した上で、ダッシュボードの右上にある「New」のメニューから（図1.9 ❶）、「Python 3（ipykernel）」を選択します（図1.9 ❷）。

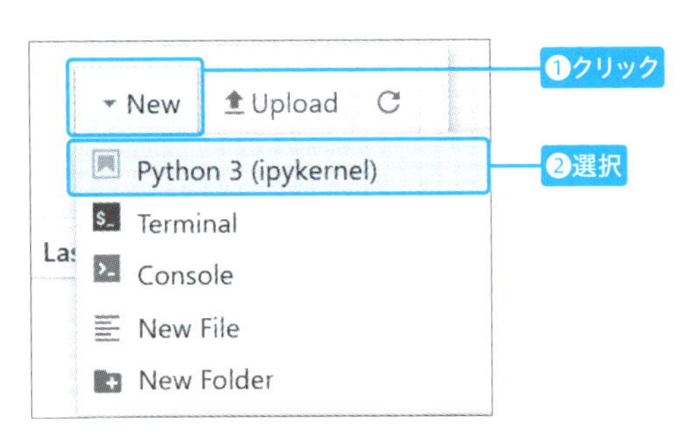

図1.9 ノートブックの新規作成

以上によりノートブックが新たに作成されて、ブラウザの新しいタブに表示されます（図1.10）。このノートブックは、.ipynbという拡張子を持つファイルとなります。

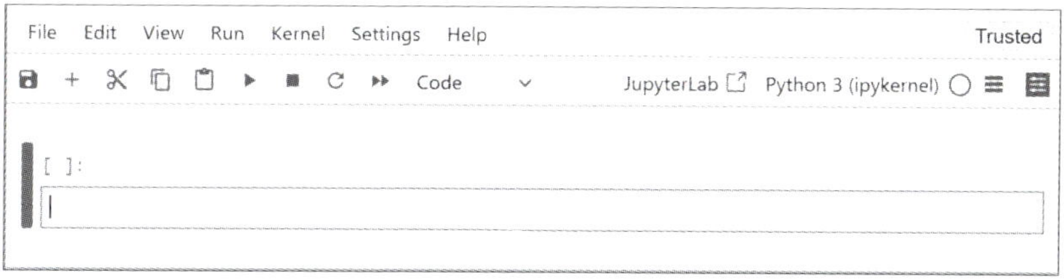

図1.10 新たなノートブック

ノートブックの画面の上部にはメニューやツールバーなどが配置されており、ノートブックに対する様々な操作を行うことができます。ノートブックの作成直後はノートブックの名前が「Untitled」となっていますが、この名前をクリックするかメニューから「File」→「Rename」を選択すると、名前を変更することができます。「my_notebook」などのお好きな名前に変更しておきましょう。

Pythonのコードは、ノートブックの「セル」と呼ばれる箇所に記述します。セルは画面に表示されている空白の長方形です。

試しに、セルに以下のPythonのコードを書いてみましょう。

In
```
print("Hello World")
```

コードの記述後に、[Shift] + [Enter] キー（macOSの場合は [Shift] + [Return] キー）を押しましょう。セルの下に以下の結果が表示されるはずです（図1.11）。

Out
```
Hello World
```

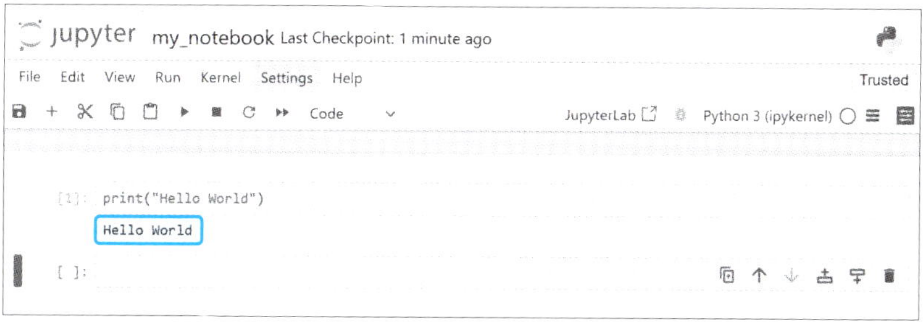

図1.11 セルにPythonのコードを書く

Jupyter Notebook上で、最初のPythonのコードを実行することができました。なお、[Shift] + [Enter] キーで実行すると、セルが一番下に位置するときは新しいセルが下に自動で追加されます。そして、1つ下のセルが選択状態になります。[Control] + [Enter] キーで実行すると、セルが一番下にあっても新しいセルは追加されません。この場合、同じセルが選択されたままとなります。

後の章で解説しますが、matplotlibというモジュールを使うことでセルの下にグラフを表示することも可能です。

1-2-3 コードとマークダウンの切り替え

セルのタイプは「コード」と「マークダウン」があります。デフォルトでセルのタイプは「コード」ですが、「コード」でない場合は「Select the cell type」をクリックして（図1.12 ❶）、「Code」を選択すると（図1.12 ❷）でセルのモードを「コード」に変更することができます。「コード」のセルでは、前述の例のようにPythonのコードを書いて実行することができます。

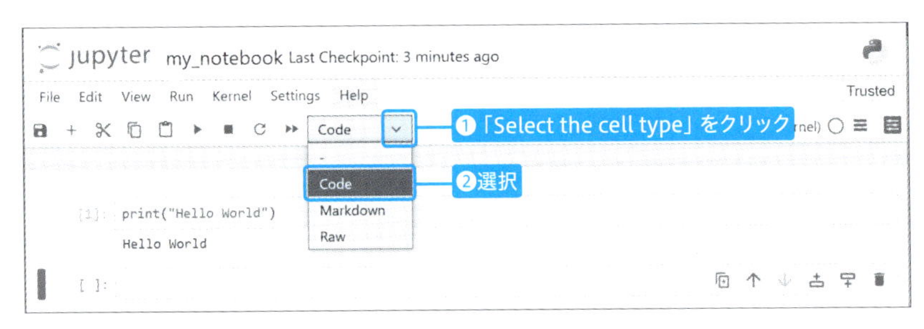

図1.12 「Select the cell type」で「Code」を選択

また、「Select the cell type」をクリックして、「Markdown」を選択するとセルのタイプを「マークダウン」に変更することができます。「マークダウン」のセルではMarkdown形式で文章を、LaTeX形式で数式を記述することができます。このタイプのセルではPythonのコードを実行することはできませんが、実行すると見た目が整えられた文章や数式が表示されます（図1.13）。

```
[ ]: print("「コード」タイプのセルです。")

     「マークダウン」タイプのセルです。
```

図1.13 「Code」タイプのセル（上）と「Markdown」タイプのセル（下）

Markdown形式では基本的に通常の方法で文章を記述することができますが、

改行する際は半角スペースを2つ並べる必要がある点にご注意ください。

Markdown形式には見出しや箇条書きなど様々な記法があるのですが、詳しく知りたい方は各自調べてみましょう。LaTeX形式については、第3章で詳しく解説します。

1-2-4 ノートブックの保存と終了

ノートブックは自動保存される設定になっていることが多いですが、メニューの「File」→「Save Notebook」により手動で保存することもできます。

ノートブックは、ノートブックを表示しているブラウザのタブを閉じても終了しません。ノートブックを終了する場合は、メニューから「File」→「Close and Shut Down Notebook」を選択しましょう。これにより、ノートブックが終了しタブが自動で閉じます。

上記の手順を経ずにタブを閉じてしまった場合は、ダッシュボードの「Running」タブで（図1.14❶）、「Shut Down」をクリックすると（図1.14❷）ノートブックを終了することができます。

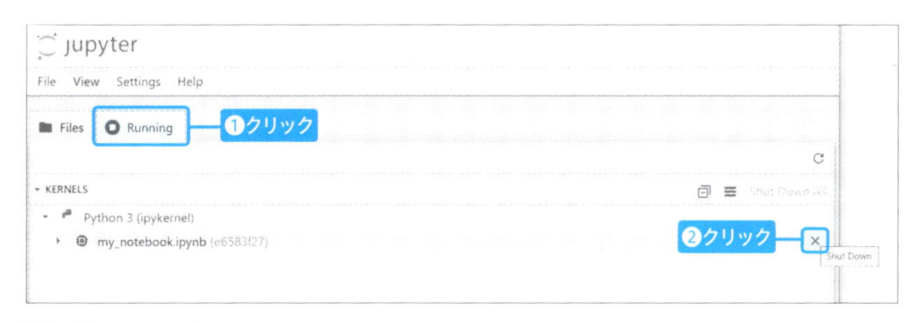

図1.14 ダッシュボードの「Running」タブ

終了したノートブックを再度開く際は、ダッシュボードでそのノートブックをダブルクリックします。

1.3 サンプルのダウンロードと本書の学び方

本書で使用するサンプルのダウンロード方法、および本書で学習する方法について解説します。

1-3-1 サンプルのダウンロード

P.vでも触れましたが、本書で使用するサンプルは、以下のページからダウンロードすることが可能です。

- 付属データのダウンロードサイト
  URL https://www.shoeisha.co.jp/book/download/9784798185668

ファイルをダウンロードして解凍し、中身を見てみましょう。各章ごとにフォルダ分けされたサンプルが確認できます。

サンプルは前節で解説したJupyter Notebookのノートブック形式になっており、Jupyter Notebookのダッシュボードから開いて使用します。

1-3-2 本書の学び方

本書における各節はレクチャー形式となっています。レクチャーの大半は、解説とそれに続く演習により構成されています。基本的に、各節ごとにJupyter Notebookのノートブックがあり、その中で解説と演習が完結します。ノートブックには好きなだけメモや数式を書き込めますし、気軽に自分のコードを書いて試すことができます。

このようなレクチャーの連続で本書は構成されていますが、レクチャーの難易度は章を重ねるにつれてゆっくりと上昇していきます。難しく感じるレクチャーがありましたら、必要に応じて前のレクチャーに戻って復習すると理解の助けになるかと思います。なお、十分に事前知識はあると判断された章や節は、スキップしていただいて問題ありません。

本書では数式をコードにして実行しますので、気軽に試行錯誤を重ねることができます。好奇心や探究心を大事にし、体験ベースで数学の原理を身に付けていきましょう。

本書はどなたでも学べるように、少しずつ丁寧な解説を心がけておりますが、一度の説明ではわからない難しい概念があることもあるかと思います。

そういうときは、決して焦らず、時間をかけて少しずつ理解することを心がけましょう。AI向けの数学は、手を動かしながら時間をかけて学べば決して難しいものではありません。

それでは、Pythonと数学の基礎からはじめていきましょう。

第2章 Pythonの基礎

本書では、AI向けの数学をプログラミング言語Pythonを使って学びます。そのための下準備として、この章ではPythonを基礎から解説します。本章で扱う内容は、Pythonの基礎的な文法、数値計算ライブラリNumPy、グラフ表示用ライブラリmatplotlibです。

本章は、本書で用いるPythonの文法やNumPy、matplotlibの機能をカバーしておりますので、先の章に進んだ後でも状況に応じて必要な箇所を読み直すことをお勧めします。

2.1 Pythonの基礎

本書を読み進める上で必要な、Pythonの文法を学びます。Pythonは扱いやすく、人工知能や数学との相性のいいプログラミング言語です。

Pythonを習得済みの方は、この節をスキップしていただいて問題ありません。

2-1-1 Pythonとは

Pythonはシンプルで可読性が高く、比較的扱いやすいプログラミング言語です。オープンソースで誰でも無料でダウンロードすることができるので、世界中で広く使用されています。他の言語と比較した場合、数値計算やデータ解析に強みがあり、専門のプログラマーでなくても手軽にコードを書くことができるので、現在人工知能の開発でスタンダードとなっています。

文法が簡潔なので、はじめてプログラミングに取り組む方にも、Pythonはおすすめできます。その一方で、Pythonはオブジェクト指向に対応しており、高度に抽象化されたコードを書くことも可能です。

しかしながら、本書では基本的にオブジェクト指向は使用せずに、Pythonの基本的な文法のみで数学を学びます。オブジェクト指向などのより高度な概念を学びたい方は、他の書籍などを参考にしてください。

2-1-2 変数

Pythonでは、**変数**に整数や小数、文字列などの様々な**値**を入れる（代入する）ことができます。

変数に値を入れる場合は、構文2.1のように**=**を使って記述します。

構文2.1

```
変数 = 値
```

ATTENTION

=について

Pythonにおける=の役割は数学における=の役割と似ているようで異なります。Pythonにおいて、=は左側の変数に右側の値を入れる（代入する）ことを意味します。数学における=は、左側と右側が等しいことを意味します。

ATTENTION

値について

プログラミングにおいて「値」という言葉は数値のみを指すわけではありません。文字列などの数値でないものも、変数に代入可能であれば「値」と呼びます。

例えば、**abcd**という名前の変数に**1234**という整数の値を代入する場合、次のように記述します。

```
abcd = 1234
```

以下に、**=**を使って変数に値を代入する例をいくつか示します。変数名には、数字や_（アンダーバー）を使うこともできます。

リスト2.1 のセルでは、変数に整数、小数および文字列を代入します。文字列は文字を**""**で囲ったもので、Pythonで文章の操作を行う際はしばしば変数に文字列を代入します。

リスト2.1 様々な変数

In
```
a = 123   # 変数aに整数123を代入
b_123 = 123.456   # 変数b_123に小数123.456を代入
hello_world = "Hello World!"  ➡
# 変数hello_worldに文字列"Hello World!"を代入
```

#の後に書いた文字は、コメントとして扱われます。コメントはプログラムとして認識されないので、コードの中にメモを書きたい場合はコメントを使います。

ATTENTION

変数名

変数名では、大文字と小文字を別の文字として扱う必要があります。例えば、**abcd**と**ABCD**は別の変数としてPythonに認識されます。

2-1-3 値の表示と変数の保持

print()を使って、変数に格納された値を表示することができます。リスト2.2は、変数**a**に**123**という値を格納し、**print()**を使ってその値を表示するコードです。

リスト2.2 値の表示の例

In

```
a = 123
print(a)
```

Out

```
123
```

変数**a**に格納された値が、セルの下に表示されました。

また リスト2.3 のように複数の値を **,**（カンマ）で区切ることで、値をまとめて表示することができます。

リスト2.3 値をまとめて表示する例

In

```
print(123, 123.456, "Hello World!")
```

Out

```
123 123.456 Hello World!
```

なお、セルを実行するとそのセル内の変数は他のセルに共有されます。リスト2.4 のセルでは変数**b**に代入を行っていますが、このセルを実行すると他のセルでもこの変数**b**を使うことができます。

リスト2.4 変数の代入

In
```
b = 456
```

別のセルで、変数**b**に格納された値を表示しましょう（リスト2.5）。

リスト2.5 変数に格納された値を表示

In
```
print(b)
```

Out
```
456
```

値が表示されました。以上のように、実行済みのセルの変数はノートブック内で共有されます。

2-1-4 演算子

演算子を使って様々な演算を行うことができます。

リスト2.6のセルでは、**+**（足し算）、**-**（引き算）、*****（掛け算）、******（べき乗）の演算子を使っています。演算子による演算の結果を変数に格納し、**print()**でそれぞれの値を表示します。

リスト2.6 様々なPythonの演算子

In
```
a = 3
b = 4

c = a + b  # 足し算
print("足し算:", c)

d = a - b  # 引き算
print("引き算:", d)

e = a * b  # 掛け算
print("掛け算:", e)
```

```
f = a ** b  # べき乗（aのb乗）
print("べき乗:", f)
```

Out

```
足し算: 7
引き算: -1
掛け算: 12
べき乗: 81
```

割り算に関してですが、結果が小数になる割り算と整数になる割り算があります（リスト2.7）。/の演算子を使うと結果は小数になり、//の演算子を使うと結果は整数になります。また、%の演算子を使うと整数で割った余りを求めることができます。

リスト2.7 割り算の演算子

In

```
g = a / b  # 結果は小数
print("割り算（小数）:", g)

h = a // b  # 結果は整数
print("割り算（整数）:", h)

i = a % b  # 余り
print("余り:", i)
```

Out

```
割り算（小数）: 0.75
割り算（整数）: 0
余り: 3
```

また、+=などの演算子を使うことで、変数に格納された値に対して演算を行うことができます（リスト2.8）。

リスト2.8 変数自身に演算を行う

In

```
j = 5
j += 3  # 3を加える。j = j + 3と同じ
print("3を加える:", j)

k = 5
k -= 3  # 3を引く。 k = k - 3と同じ
print("3を引く:", k)
```

Out

```
3を加える: 8
3を引く: 2
```

Pythonには他にも様々な演算子がありますので、興味のある方はご自身で調べてみてください。

2.1.5 大きな数、小さな数の表記

大きな数、小さな数は**e**を使って表記することができます。**e**の左側に小数、右側に整数がある表記は、**e**の左側の小数に**e**の右側の回数だけ10を掛けた数を表します。**e**の右側が負の場合は、その回数だけ10で割った数を表します(リスト2.9)。

リスト2.9 大きな数、小さな数の表記

In

```
a = 1.2e5  # 120000
print(a)

b = 1.2e-4  # 0.00012
print(b)
```

Out

```
120000.0
0.00012
```

2-1-6 リスト

リストにより、複数の値をまとめて1つの変数で扱うことができます。リストは値（要素）全体を **[ ]** で囲み、各要素は **,** で区切ります（リスト2.10）。

リスト2.10 リストで複数の値をまとめる

In
```
a = [1, 2, 3, 4]
print(a)
```

Out
```
[1, 2, 3, 4]
```

リスト名の直後に **[インデックス]** を付けると、リストの要素を取り出すことができます。インデックスは、要素の先頭から0、1、2、3、…と数えます（リスト2.11）。

リスト2.11 リストの要素をインデックスで取り出す

In
```
b = [4, 5, 6, 7]
print(b[2])  # 先頭から0、1、2、3、...とインデックスを付けた場合➡
の、2のインデックスの要素
```

Out
```
6
```

append() でリストに要素を追加することができます。追加された要素は、リストの一番最後に配置されます（リスト2.12）。

リスト2.12 リストに要素を追加する

In
```
c = [1, 2, 3, 4, 5]
c.append(6)  # リストに6を追加
print(c)
```

Out
```
[1, 2, 3, 4, 5, 6]
```

リストの中にリストを入れて、2重のリストを作ることも可能です（リスト2.13）。

リスト2.13 リストの中にリストを入れる

In

```
d = [[1, 2, 3], [4, 5, 6]]
print(d)
```

Out

```
[[1, 2, 3], [4, 5, 6]]
```

また、リストに対して*の演算子で整数を掛けると、すべての要素が複数個並んだ新しいリストを作ることができます（リスト2.14）。

リスト2.14 リストのすべての要素を複数並べた、新しいリストを作る

In

```
e = [1, 2]
print(e * 3)  # リストeのすべての要素を3つ並べた新しいリスト
```

Out

```
[1, 2, 1, 2, 1, 2]
```

リストにより、人工知能に必要なデータを効率よく扱うことができます。実際には、リストのデータは2.2節で解説するNumPyの配列形式などに変換してから使用することが多いです。

2-1-7 タプル

タプルはリストと同じく複数の値をまとめて扱いたいときに利用しますが、要素の追加や削除、入れ替えなどはできません。タプルは値（要素）全体を()で囲み、各要素は,で区切ります。要素を変更しない場合は、リストよりもタプルを使用するほうがベターです（リスト2.15）。

リスト2.15 タプルの要素にアクセスする

In

```
a = (1, 2, 3, 4, 5)  # タプルの作成
b = a[2]  # インデックスが2の要素を取得
print(b)
```

Out

```
3
```

要素が1つだけのタプルは、要素の直後に , が必要です（リスト2.16）。

リスト2.16 要素が1つだけのタプル

In
```
c = (3,)
print(c)
```

Out
```
(3,)
```

なお、リストやタプルの要素は、リスト2.17のようにしてまとめて変数に代入することが可能です。

リスト2.17 リストやタプルの要素をまとめて変数に代入する

In
```
d = [1, 2, 3]
d_1, d_2, d_3 = d
print(d_1, d_2, d_3)

e = (4, 5, 6)
e_1, e_2, e_3 = e
print(e_1, e_2, e_3)
```

Out
```
1 2 3
4 5 6
```

タプルは、2.1.10項で解説する**関数**とデータのやり取りをするのによく使われます。

2-1-8 if文

if文は、条件分岐のために使用します。if文は、構文2.2のような形式をとります。

構文2.2

```
if 条件式:
    処理1
else:
    処理2
```

この場合、条件式が満たされていれば処理1が、満たされていなければ処理2が実行されます。

リスト2.18のコードでは、ifの直後の条件（aが3よりも大きい）が満たされていれば、その直後のブロックの処理が行われます。ブロックは、行の先頭のインデントで表されます。Pythonでは、インデントは半角スペース4つで表すことが多いです。

ifの直後の条件が満たされていなければ（aが3よりも大きくなければ）、**else**の直後のブロックの処理が行われます。

リスト2.18 if文による条件分岐

In

```
a = 5

if a > 3:  # aが3よりも大きければ
    print(a + 2)  # インデントを先頭に挿入する
else:  # a > 3を満たしていなければ
    print(a - 2)
```

Out

```
7
```

aが3よりも大きい場合は**a**に2を加えた値を表示し、**a**が3よりも大きくない場合は**a**から2を引いた値を表示します。**a**の値は5で3よりも大きいので、上記のコードを実行すると5に2を足した7が表示されます。

リスト2.18では、比較するために**>**の演算子を使用しました。このような比較演算子には、上記の**>**（大きい）の他に、**<**（小さい）、**>=**（以上）、**<=**（以下）、**==**（等しい）、**!=**（等しくない）があります。

リスト2.19の例では、比較演算子として**==**を使用し、値が等しいかどうかの比較を行っています。

リスト2.19 ==の演算子による比較

In
```
b = 7
if b == 7:  # bが7と等しければ
    print(b + 2)
else:  # b == 7を満たしていなければ
    print(b - 2)
```

Out
```
9
```

以上のように、if文を使うことで条件によって異なる処理を行うことができます。

2.1.9 for文

for文により、処理を繰り返し行うことができます。for文をリストとともに使用する場合、基本的に構文2.3の形式をとります。

構文2.3
```
for 変数 in リスト:
    処理
```

この場合、リストの要素数だけ繰り返し処理が行われますが、その際に変数に入ったリストの要素を利用することができます。

リスト2.20は、for文とリストを使ったループの例です。繰り返し行う処理は、if文と同様に行頭にインデントを付けて記述します。このコードでは、リストの要素数が3なのでブロック内の処理が3回行われることになります。その際に、リストの中の各要素が順番に変数**a**に入ります。

リスト2.20 for文とリストを使ったループ

In
```
for a in [4, 7, 10]:  # リストの各要素が変数aに入る
    print(a + 1)  # ループで実行する処理にはインデントを入れる
```

Out

```
5
8
11
```

ブロック内の処理が行われるたびに、リストの要素が前から順番に変数**a**に入っていることが確認できます。

次に、**range()**という表記を使ったループを解説します。for文を**range()**とともに使用する場合、構文2.4のような形式をとります。

構文2.4

```
for 変数 in range(整数):
    処理
```

この場合、整数の数だけ繰り返し処理が行われますが、変数には0から整数マイナス1までの数が入ります。

リスト2.21はfor文と**range()**を使ったループの例ですが、変数**a**には0から4までの値が入ります。

リスト2.21 range()を使ったループ

In

```
for a in range(5):  # aには0から4が入る
    print(a)
```

Out

```
0
1
2
3
4
```

aに0から4までの整数が入ったことが確認できますね。

以上のようなfor文を使うことで、人工知能に必要な非常に多くの処理を短いコードで記述することが可能になります。

2-1-10 関数

関数を用いると、複数行の処理をグループにまとめることが可能になります。関数は、基本的に 構文2.5 の形式をとります。

構文2.5

```
def 関数名(引数):
    処理
    return 返り値
```

この場合、**引数**は関数に入る値で、**返り値**は関数から出ていく値です。引数と返り値はなくてもかまいません。

リスト2.22 は関数の例です。**my_func_1**という名前の関数を定義した後、この関数を呼び出します。その結果、関数内の処理が実行されます。

この関数には、引数と返り値はありません。

リスト2.22 関数を定義し、呼び出す

In

```
def my_func_1():  # my_func_1が関数名
    a = 2
    b = 3
    print(a + b)

my_func_1()  # 関数の呼び出し
```

Out

```
5
```

関数内の処理が実行され、2と3が足された結果である5が表示されました。関数は、引数と呼ばれる値を関数の外部から受け取ることができます。

引数は関数名の直後の **()** の中に設定しますが、**,** で区切って複数設定することができます。リスト2.23 の例では関数に引数 **p**、**q** が設定されていますが、関数を呼び出す際にそれぞれに入る値を渡します。

リスト2.23 引数を伴う関数

In

```
def my_func_2(p, q):  # p、qが引数
    print(p + q)

my_func_2(3, 4)  # 関数を呼び出す際に値を渡す
```

Out

```
7
```

引数として受け取った2つの値が足されていますね。以上のようにして関数は外部から値を受け取ることができます。

関数は、返り値と呼ばれる値を関数の外部に渡すことができます。

返り値は、関数の最後に**return**と書いて、その直後に記述します。リスト2.24の例では関数内に返り値が設定されていますが、関数を呼び出して返り値を受け取り、その値を表示します。

リスト2.24 引数と返り値を伴う関数

In

```
def my_func_3(p, q):  # p、qが引数
    r = p + q
    return r  # rが返り値

k = my_func_3(3, 4)  # 返り値として受け取った値をkに入れる
print(k)
```

Out

```
7
```

複数の値を返り値にしたい場合は、タプルを使用します。**return**の直後に、返したい値を格納したタプルを記述します（リスト2.25）。

リスト2.25 返り値をタプルにする

In
```
def my_func_3(p, q):  # p、qが引数
    r = p + q
    s = p - q
    return (r, s)  # 返り値をタプルにする

k, l = my_func_3(5, 2)  # タプルの各要素をk, lに代入する
print(k, l)
```

Out
```
7 3
```

一度定義した関数は、何度でも呼び出すことができます。何度も行う必要のある処理は、関数としてまとめておくと非常に便利です。

2-1-11 スコープ

変数には**スコープ**という概念があります。スコープとは変数にアクセスできる範囲のことです。

関数内に記述された変数がローカル変数、関数外に記述された変数がグローバル変数です。ローカル変数は同じ関数内がスコープですが、グローバル変数は関数の内外がスコープになります。

リスト2.26のセルには、関数外にグローバル変数が、関数内にローカル変数が記述してあります。関数内ではこの両者にアクセスすることができますが、関数外でローカル変数にアクセスしようとするとエラーになります。

リスト2.26 ローカル変数とグローバル変数

In
```
a = 123  # グローバル変数

def show_number():
    b = 456  # ローカル変数
    print(a, b)  # 両者にアクセスできる

show_number()
```

Out

```
123 456
```

以上のように、変数を記述する箇所により変数のスコープは異なります。

Pythonには、グローバル変数に関して少々込み入ったルールがあります。

関数内でグローバル変数に値を代入しようとすると、別のローカル変数とみなされます。リスト2.27の例では、関数内でグローバル変数**a**と同じ名前の変数**a**に値を代入していますが、この場合関数内の変数**a**は別のローカル変数です。

リスト2.27 グローバル変数と同じ名前のローカル変数

In

```
a = 123  # グローバル変数

def set_local():
    a = 456  # aは上記とは別のローカル変数
    print("Local:", a)

set_local()
print("Global:", a)  # グローバル変数の値は変わらない
```

Out

```
Local: 456
Global: 123
```

リスト2.27の例では、関数内でグローバル変数の値は変更されず、同じ名前の変数は別のローカル変数とみなされます。

関数の引数として使う変数に関しても、同じルールが適用されます。リスト2.28の例では、引数の変数名**a**がグローバル変数の名前と同じですが、関数内では**a**は別のローカル変数になります。

リスト2.28 引数として使われる変数のスコープ

In
```
a = 123  # グローバル変数

def show_arg(a):  # aは上記とは別のローカル変数
    print("Local:", a)

show_arg(456)
print("Global:", a)  # グローバル変数の値は変わらない
```

Out
```
Local: 456
Global: 123
```

それでは、関数内でグローバル変数の値を変更したい場合はどのようにしたらよいのでしょうか？

グローバル変数の値を関数内で変更するためには、**global**を用いて、変数がローカルではないことを関数内で明記する必要があります。リスト2.29の例では、関数内で**global**の表記を行い、関数内でグローバル変数にアクセスできるようにしています。

リスト2.29 関数内で、グローバル変数の値を変更する

In
```
a = 123  # グローバル変数

def set_global():
    global a
    a = 456  # グローバル変数の値を変更
    print("Global:", a)

set_global()
print("Global:", a)
```

Out
```
Global: 456
Global: 456
```

関数内で、グローバル変数の値が変更されたことが確認できました。

以上のように、関数内で変数を扱う際は常にスコープを意識する必要があります。

2-1-12 演習

問題

Jupyter Notebookのセルに、リスト、タプル、if文、for文、関数の例文を最低1つずつ書いてみましょう。

解答例

リスト2.30 解答例

In

```
# ---リストの例 ---
print("--- 結果: リスト ---")
my_list = [1, 2, 3, 4, 5]
print(my_list[2])

print()  # 空の行

# ---タプルの例 ---
print("--- 結果: タプル ---")
my_tuple = (1, 2, 3, 4, 5)
print(my_tuple[3])

print()  # 空の行

# --- if文の例 ---
print("--- 結果: if文 ---")
a = 5
b = 2
if a == 5:
    print(a + b)
```

```
print()

# --- for文の例 ---
print("--- 結果: for文 ---")
for m in my_list:
    print(m + 1)

print()

# --- 関数の例 ---
print("--- 結果: 関数 ---")
def add(p, q):
      return p + q
print(add(a, b))
```

Out

```
--- 結果: リスト ---
3

--- 結果: タプル ---
4

--- 結果: if文 ---
7

--- 結果: for文 ---
2
3
4
5
6

--- 結果: 関数 ---
7
```

2.2 NumPyの基礎

NumPyはシンプルな表記で効率的なデータの操作を可能にします。ここからは、本書を読み進める上で必要なNumPyの知識を学んでいきます。

2-2-1 NumPyとは

NumPyはPythonの拡張モジュールです。大規模な数学関数ライブラリを持っており、演算機能が充実しています。人工知能を実装する際には、ベクトルや行列を頻繁に扱いますので、NumPyは非常に有用なツールです。

NumPyはAnacondaに最初から含まれているのでインポートするだけで使用することが可能です。なお本節でのNumPyの解説は、本書を進める上で必要最小限のものです。NumPyの詳細に関しては、他の書籍などを参考にしてください。

2-2-2 NumPyのインポート

モジュールとは利用可能な外部のPythonのファイルのことです。Pythonでは、importの記述によりモジュールを導入することができます。NumPyはモジュールなので、NumPyを使用するためには、コードの先頭にリスト2.31のように記述します。

リスト2.31 NumPyのインポート

In

```
import numpy
```

また、**as**を使うことでモジュールに別の名前を付けることができます（リスト2.32）。

リスト2.32 モジュールに別の名前を付ける

In

```
import numpy as np
```

リスト2.32のように記述すると、これ以降、**np**という名前でNumPyのモジュールを扱うことができます。

2-2-3 NumPyの配列を生成

人工知能の計算には行列やベクトルを多用しますが、これらを表現するのにNumPyの配列を用います。

ベクトルや行列についてはのちの節で改めて解説しますが、ここではとりあえずNumPyの配列とは数値が並んだもの、と捉えていただければ十分です。以降、単に配列と呼ぶ場合はNumPyの配列を指すことにします。

NumPyの配列は、NumPyの**array()**関数を使うことでPythonのリストから簡単に作ることができます（リスト2.33）。

リスト2.33 PythonのリストからNumPyの配列を作る

In

```
import numpy as np

a = np.array([0, 1, 2, 3, 4, 5]) ➡
# PythonのリストからNumPyの配列を作る
print(a)
```

Out

```
[0 1 2 3 4 5]
```

次のような配列が折り重なった、2次元の配列を作ることもできます。2次元配列は、要素がリストであるリスト（2重のリスト）から作ります（リスト2.34）。

リスト2.34 2重のリストからNumPyの2次元配列を作る

In

```
import numpy as np

b = np.array([[0, 1, 2], [3, 4, 5]]) ➡
# 2重のリストからNumPyの2次元配列を作る
print(b)
```

Out

```
[[0 1 2]
 [3 4 5]]
```

同様に、3次元の配列も作ることができます。3次元配列は2次元の配列がさらに折り重なったもので、3重のリストから作ります（リスト2.35）。

リスト2.35　3重のリストからNumPyの3次元配列を作る

In

```
import numpy as np

c = np.array([[[0, 1, 2], [3, 4, 5]], [[5, 4, 3], ➡
[2, 1, 0]]])  # 3重のリストからNumPyの3次元配列を作る
print(c)
```

Out

```
[[[0 1 2]
  [3 4 5]]

 [[5 4 3]
  [2 1 0]]]
```

同様にして、より高次元の配列を作ることもできます。

NumPyの配列は、他の関数を使って生成することもできます。**zeros()**関数は要素数がすべて0の配列を、**ones()**関数は要素数がすべて1の配列を生成します。また、**arange()**関数は0から順番に整数が並んだ配列を生成します（リスト2.36）。

リスト2.36　配列を生成する様々な関数

In

```
import numpy as np

d = np.zeros(8)  # 0が8個格納された配列
print(d)

e = np.ones(8) # 1が8個格納された配列
print(e)

f = np.arange(8) # 0から7までが格納された配列
print(f)
```

Out
```
[0. 0. 0. 0. 0. 0. 0. 0.]
[1. 1. 1. 1. 1. 1. 1. 1.]
[0 1 2 3 4 5 6 7]
```

2-2-4 配列の形状

配列の形状は、**shape()**関数により調べることができます。この関数は、形状を表すタプルを返します（リスト2.37）。

リスト2.37 **shape()**関数により配列の形状を得る

In
```
import numpy as np

a = np.array([[0, 1, 2],
              [3, 4, 5]])  # 2x3の2次元配列
print(np.shape(a))  # aの形状を表示
```

Out
```
(2, 3)
```

(行数, 列数)を表すタプルが表示されました。

単に一番外側（最初の次元）の要素数、すなわち上記でいう行数を得たい場合は、**len()**関数を使ったほうがシンプルです（リスト2.38）。

リスト2.38 **len()**関数により一番外側の要素数を得る

In
```
print(len(a))  # aの行数を得る
```

Out
```
2
```

2-2-5 配列の演算

リスト2.39の例では、配列と数値の間で演算を行っています。この場合、配列の各要素と数値の間で演算が行われます。

リスト2.39 配列と数値の演算

In

```
import numpy as np

a = np.array([[0, 1, 2],
              [3, 4, 5]])  # 2次元配列

print(a)
print()
print(a + 3)  # 各要素に3を足す
print()
print(a * 3)  # 各要素に3を掛ける
```

Out

```
[[0 1 2]
 [3 4 5]]

[[3 4 5]
 [6 7 8]]

[[ 0  3  6]
 [ 9 12 15]]
```

また、**リスト2.40**は配列同士の演算の例です。この場合は同じ位置の各要素同士で演算が行われます。

リスト2.40 配列同士の演算

In

```
b = np.array([[0, 1, 2],
              [3, 4, 5]])  # 2次元配列

c = np.array([[2, 0, 1],
              [5, 3, 4]])  # 2次元配列

print(b)
print()
```

```
print(c)
print()
print(b + c)
print()
print(b * c)
```

Out

```
[[0 1 2]
 [3 4 5]]

[[2 0 1]
 [5 3 4]]

[[2 1 3]
 [8 7 9]]

[[ 0  0  2]
 [15 12 20]]
```

2-2-6 要素へのアクセス

配列の各要素へのアクセスは、リストの場合と同様にインデックスを利用します。1次元配列の場合、以下のように **[]** 内にインデックスを指定することで、要素を取り出すことができます（リスト2.41）。

リスト2.41 インデックスを指定し、配列の要素にアクセスする

In

```
import numpy as np

a = np.array([1, 2, 3, 4, 5])
print(a[3])  # インデックスを指定
```

Out

```
4
```

リスト2.41は、先頭から0、1、2、...とインデックスを付けた場合の、インデックスが3の要素を取り出しています。

また、このようなインデックスを指定して要素を入れ替えることができます。

リスト2.42 インデックスを指定して、配列の要素を入れ替える

In
```
a[2] = 9
print(a)
```

Out
```
[1 2 9 4 5]
```

リスト2.42の場合は、インデックスが2の要素を9に置き換えています。

2次元配列の場合、要素を取り出す際にはインデックスを縦横で2つ指定します。**,**（カンマ）区切りでインデックスを並べることも、インデックスを入れた**[ ]**を2つ並べることもできます（リスト2.43）。

リスト2.43 2次元配列の要素にアクセスする

In
```
b = np.array([[0, 1, 2],
              [3, 4, 5]])

print(b[1, 2])  # b[1][2]と同じ
```

Out
```
5
```

縦のインデックスが1、横のインデックスが2の要素を取り出すことができました。

要素を入れ替える際も、同様にインデックスを2つ指定します（リスト2.44）。

リスト2.44 2次元配列の要素を入れ替える

In
```
b[1, 2] = 9

print(b)
```

Out
```
[[0 1 2]
 [3 4 9]]
```

2つのインデックスで指定した要素が入れ替わりました。3次元以上の配列の場合も同様に、インデックスを複数指定することで要素にアクセスすることができます。

また、インデックスに**:**（コロン）を指定することで、行や列などにアクセスすることができます。リスト2.45のコードでは、2次元配列から行を取り出して表示し、列を入れ替えています。

リスト2.45 行や列にアクセスする

In
```
c = np.array([[0, 1, 2],
              [3, 4, 5]])

print(c[1, :])  # インデックスが1の行を取得

print()

c[:, 1] = np.array([6, 7])  # インデックスが1の列を入れ替え
print(c)
```

Out
```
[3 4 5]

[[0 6 2]
 [3 7 5]]
```

2-2-7 関数と配列

関数の引数や返り値として、NumPyの配列を使うことができます。リスト2.46の関数**my_func**は、引数として配列を受け取り、返り値として配列を返します。

リスト2.46 関数の引数、および返り値としての配列

In

```
import numpy as np

def my_func(x):
    y = x * 2 + 1
    return y

a = np.array([[0, 1, 2],
              [3, 4, 5]])  # 2次元配列
b = my_func(a)  # 引数として配列を渡し、返り値として配列を受け取る

print(b)
```

Out

```
[[ 1  3  5]
 [ 7  9 11]]
```

人工知能のコードでは、しばしばリスト2.46のように配列を使って関数内外のデータのやり取りをします。

2.2.8 NumPyの様々な機能

NumPyは様々な機能の関数を持っていますが、リスト2.47にそのごく一部を示します。**sum()**関数により合計、**average()**関数により平均、**max()**関数により最大値、**min()**関数により最小値を得ることができます。

リスト2.47 NumPyが持つ様々な関数

In

```
import numpy as np

a = np.array([[0, 1, 2],
              [3, 4, 5]])  # 2次元配列

print("合計:", np.sum(a))
print("平均:", np.average(a))
```

```
print("最大値:", np.max(a))
print("最小値:", np.min(a))
```

Out

```
合計: 15
平均: 2.5
最大値: 5
最小値: 0
```

2-2-9 演習

問題

Jupyter NotebookのセルにNumPyの2次元配列を2つ記述して、お互いの和、差、積を求めてみましょう。

解答例

リスト2.48 解答例

In

```
import numpy as np

a = np.array([[0, 1, 2],
              [3, 4, 5]])
b = np.array([[5, 4, 3],
              [2, 1, 0]])

print(a + b)  # 和
print()
print(a - b)  # 差
print()
print(a * b)  # 積
```

Out

```
[[5 5 5]
 [5 5 5]]

[[-5 -3 -1]
 [ 1  3  5]]

[[0 4 6]
 [6 4 0]]
```


2.3 matplotlibの基礎

グラフを描画するためのモジュール、matplotlibの使い方を学びます。コードの実行結果を可視化できるようになりましょう。

2-3-1 matplotlibとは

matplotlibはNumPyと同じPythonの外部モジュールで、グラフの描画や画像の表示、簡単なアニメーションの作成などを行うことができます。

人工知能においてはデータを可視化することがとても大事ですので、本節ではmatplotlibによるグラフの描画を解説します。

2-3-2 matplotlibのインポート

グラフを描画するためには、matplotlibのpyplotというモジュールをインポートします。pyplotはグラフの描画をサポートします。データにはNumPyの配列を使いますので、NumPyもインポートします。また、Jupyter Notebookでmatplotlibのグラフを表示するためには、コードの先頭に**%matplotlib inline**の記述が必要なことがあります（リスト2.49）。

リスト2.49 各種インポート

In
```
%matplotlib inline

import numpy as np
import matplotlib.pyplot as plt
```

以降のコードでは、**%matplotlib inline**の記述が省略されることがあります。環境によってはこの表記がないとグラフが表示されないことがあるので、実行してもグラフが表示されない場合はこの表記を先頭に追加しましょう。

2-3-3 linspace()関数

matplotlibでグラフを描画する際に、NumPyの**linspace()**関数がよく使われます。**linspace()**関数は、ある区間を50に等間隔で区切ってNumPyの配列にします。この配列を、グラフの横軸の値としてよく使います（リスト2.50）。

リスト2.50 linspace()関数で、等間隔の値が格納された配列を作る

In
```
import numpy as np

x = np.linspace(-5, 5)  # -5から5まで50に区切る

print(x)
print(len(x))  # xの要素数
```

Out
```
[-5.         -4.79591837 -4.59183673 -4.3877551  ➡
-4.18367347 -3.97959184
 -3.7755102  -3.57142857 -3.36734694 -3.16326531 ➡
-2.95918367 -2.75510204
 -2.55102041 -2.34693878 -2.14285714 -1.93877551 ➡
-1.73469388 -1.53061224
 -1.32653061 -1.12244898 -0.91836735 -0.71428571 ➡
-0.51020408 -0.30612245
 -0.10204082  0.10204082  0.30612245  0.51020408  ➡
0.71428571  0.91836735
```

```
  1.12244898  1.32653061  1.53061224  1.73469388 ➡
1.93877551  2.14285714
  2.34693878  2.55102041  2.75510204  2.95918367 ➡
3.16326531  3.36734694
  3.57142857  3.7755102   3.97959184  4.18367347 ➡
4.3877551   4.59183673
  4.79591837  5.        ]
50
```

この配列を使って、連続に変化する横軸の値を擬似的に表現します。

2-3-4 グラフの描画

例として、pyplotを使って直線を描画します。NumPyの**linspace()**関数でx座標のデータを配列として生成し、これに値を掛けてy座標とします。そして、pyplotの**plot()**関数で、x座標、y座標のデータをプロットし、**show()**関数でグラフを表示します（リスト2.51）。

リスト2.51 pyplotでシンプルなグラフを描画する

In

```
import numpy as np
import matplotlib.pyplot as plt

x = np.linspace(-5, 5)  # -5から5まで
y = 2 * x  # xに2を掛けてy座標とする

plt.plot(x, y)
plt.show()
```

Out

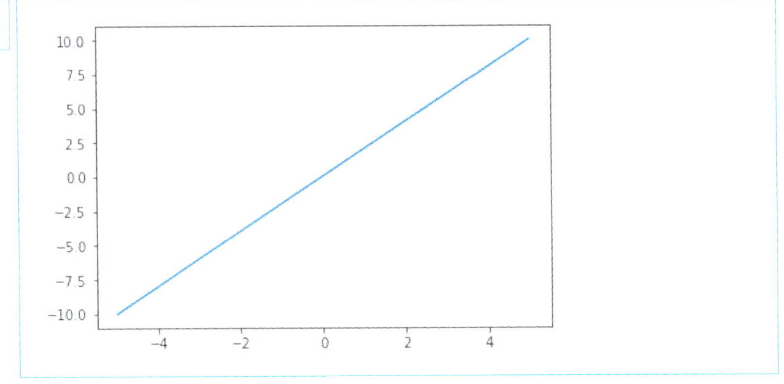

実行してもグラフが表示されない方は、**%matplotlib inline**をコードの一番上の行に追記しましょう。

2-3-5 グラフの装飾

以下を表示し、グラフの見た目をリッチにします（リスト2.52）。

- 軸のラベル
- グラフのタイトル
- グリッドの表示
- 凡例と線のスタイル

リスト2.52 グラフを装飾する

In

```
import numpy as np
import matplotlib.pyplot as plt

x = np.linspace(-5, 5)
y_1 = 2 * x
y_2 = 3 * x

# 軸のラベル
plt.xlabel("x value", size=14)  ➡
# 軸ラベルの文字の大きさを14に指定
plt.ylabel("y value", size=14)
```

```
# グラフのタイトル
plt.title("My Graph")

# グリッドの表示
plt.grid()

# プロットの際に凡例と線のスタイルを指定
plt.plot(x, y_1, label="y1")
plt.plot(x, y_2, label="y2", linestyle="dashed")
plt.legend() # 凡例を表示

plt.show()
```

Out

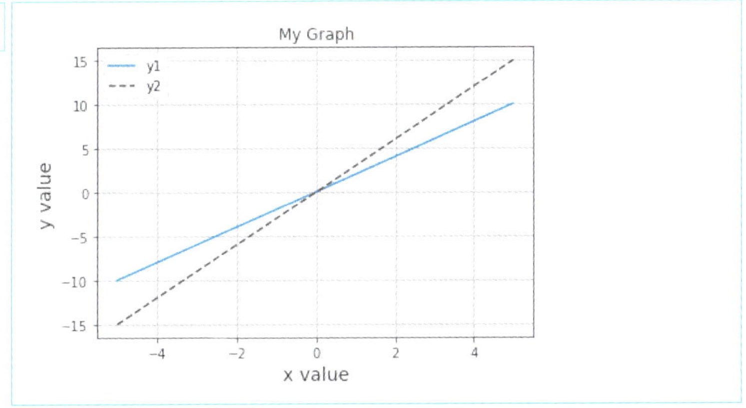

2-3-6 散布図の表示

scatter() 関数により散布図を表示することができます。リスト2.53のコードでは、x座標、y座標から散布図を描画しています。

リスト2.53 scatter()関数で散布図を表示する

In

```
import numpy as np
import matplotlib.pyplot as plt

x = np.array([1.2, 2.4, 0.0, 1.4, 1.5, 0.3, 0.7]) ➡
# x座標
y = np.array([2.4, 1.4, 1.0, 0.1, 1.7, 2.0, 0.6]) ➡
# y座標

plt.scatter(x, y)  # 散布図のプロット
plt.grid()
plt.show()
```

Out

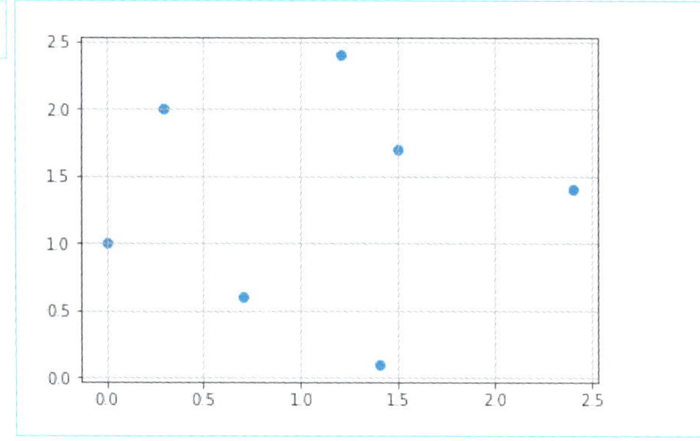

ATTENTION

横軸と縦軸の倍率

matplotlibのグラフでは、特に設定をしないと横軸と縦軸の倍率は同じになりません。

2-3-7 ヒストグラムの表示

hist()関数によりヒストグラムを表示することができます。ヒストグラムでは、各範囲の値の頻度がカウントされ長方形の柱で表されます。

リスト2.54のコードは、配列**data**における各値の頻度をカウントしヒストグラムとして表示します。

リスト2.54 ヒストグラムを表示する

In

```
import numpy as np
import matplotlib.pyplot as plt

data = np.array([0, 1, 1, 2, 2, 2, 3, 3, 4, 5, 6, 6, ➡
7, 7, 7, 8, 8, 9])

plt.hist(data, bins=10)  # ヒストグラム binsは柱の数
plt.show()
```

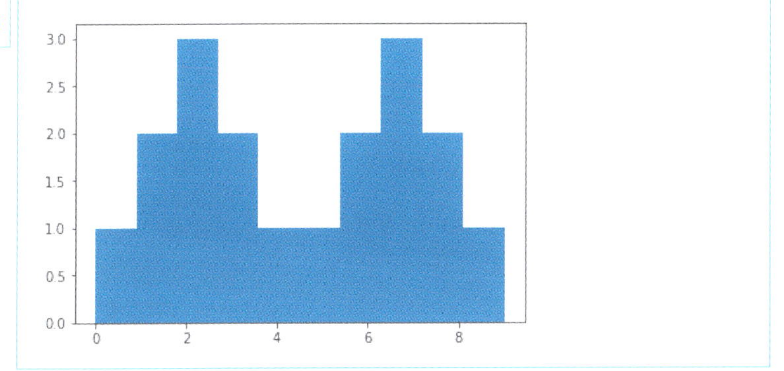

リスト2.54のグラフでは、各数値の頻度がカウントされていることが確認できます。

他にも、matplotlibにはたくさんの有用な機能があります。本節で解説したのは、matplotlibが持つ機能のごく一部にしか過ぎません。

2-3-8 演習

問題

リスト2.55のセルを補完して、グラフを描画しましょう。**x**の範囲、および**x**に対する演算は、好きなように設定しましょう。

リスト2.55 問題

In

```
import numpy as np
import matplotlib.pyplot as plt

x =     # xの範囲を指定
y_1 =    # xに演算を行いy_1とする
y_2 =    # xに演算を行いy_2とする

# 軸のラベル
plt.xlabel("x value", size=14)
plt.ylabel("y value", size=14)

# グラフのタイトル
plt.title("My Graph")

# グリッドの表示
plt.grid()

# プロット 凡例と線のスタイルを指定
plt.plot(x, y_1, label="y1")
plt.plot(x, y_2, label="y2", linestyle="dashed")
plt.legend() # 凡例を表示

plt.show()
```

解答例

リスト2.56 解答例

In

```
import numpy as np
import matplotlib.pyplot as plt
```

```
x =  np.linspace(-3, 3)   # xの範囲を指定
y_1 = 1.5*x  # xに演算を行いy_1とする
y_2 = -2*x + 1  # xに演算を行いy_2とする

# 軸のラベル
plt.xlabel("x value", size=14)
plt.ylabel("y value", size=14)

# グラフのタイトル
plt.title("My Graph")

# グリッドの表示
plt.grid()

# プロット 凡例と線のスタイルを指定
plt.plot(x, y_1, label="y1")
plt.plot(x, y_2, label="y2", linestyle="dashed")
plt.legend() # 凡例を表示

plt.show()
```

Out

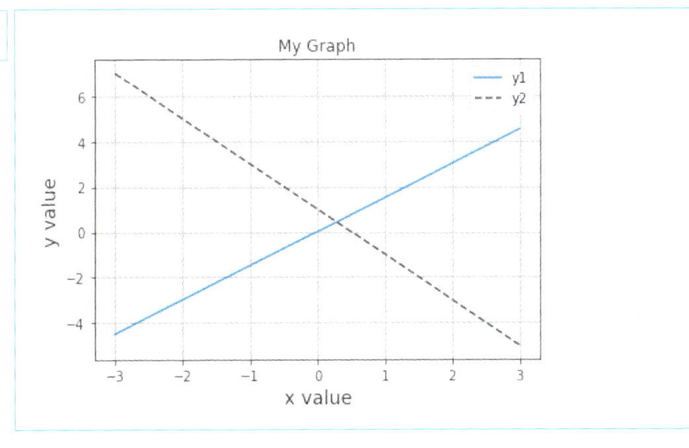

COLUMN

生成AIを使った数学の学習

近年、ChatGPTをはじめとする生成AIの急速な発展により、私たちの生活や仕事のあり方が大きく変わりつつあります。その一方で、多くの人々にとって、AIの根幹を支える数学は依然として高い壁として存在しています。しかしながら、生成AIの登場は、この「数学の壁」を乗り越えるための新たな可能性を私たちにもたらしています。
従来、数学学習といえば、紙と鉛筆を使って問題を解き、公式を暗記するというアプローチが一般的でした。しかし、生成AIは、この学習方法を根本から変える可能性を秘めています。例えば、線形代数の難解な概念を、生成AIが視覚的な例を用いてわかりやすく説明したり、微分方程式の解き方をステップバイステップで示したりすることができます。
また、生成AIが「個別化された学習体験」を提供できる点にも注目すべきでしょう。学習者の理解度や興味に合わせて説明の粒度を調整したりできますし、実世界での応用例を提示したりすることで数学をより身近なものとして感じられるようにすることも可能です。そして、生成AIは、プログラミングと数学の橋渡し役としても重要な役割を果たします。Pythonなどのプログラミング言語を使って数学の概念を実装する際、生成AIはコードの例を提示したり、エラーの修正をサポートしたりすることができます。これにより、抽象的な数学の概念を、具体的なコードとして表現する経験を積むことができます。
一方で、生成AIに依存しすぎることの危険性にも注意を払う必要があります。数学的思考力や問題解決能力は、試行錯誤を重ねる過程で培われるものだからです。生成AIは、あくまでも学習を補助する道具として位置づけ、自分で考え、理解を深める機会を大切にする必要があります。
生成AIと数学の関係は、相互に補完し合うものといえるでしょう。AIの発展が数学学習をより親しみやすいものにし、その数学の理解がさらなるAIの発展につながっていく。このような好循環を生み出すことで、より多くの人々が数学の魅力を発見し、AIの可能性を広げていくことができるのです。
今後、生成AIはますます進化し、私たちの学習方法も変わっていくことでしょう。しかし、変わらないのは、数学が論理的思考の基盤であり、問題解決の重要なツールであるという事実です。生成AIという新しい学習パートナーとともに、数学の世界をより深く探求していく時代がはじまっているのです。

第3章 数学の基礎

この章では、本書で学ぶための基礎となる数学をPythonを使って解説します。数学の基礎を押さえると同時に、Pythonで数式を扱うことにも慣れていきましょう。

3.1 変数、定数

変数と定数は、数式を扱う上で基礎となる概念です。

3-1-1 変数と定数の違い

変数と定数の違いは以下のようになります。

変数：変化する数
定数：一定の、変化しない数

変数は、xやyなどのアルファベットを用いてよく表されます。定数は、1、2.3、-5などの数値で表されます。また、aやbなどのアルファベットや、αやβなどのギリシャ文字などでもよく表されます。

3-1-2 変数と定数の例

以下は、変数と定数を使用した数式の例です。

$$y = ax$$
$$x, y\text{:変数}$$
$$a\text{:定数}$$

リスト3.1は、この数式をコードで表現した例です。

リスト3.1 変数と定数を使って直線を描画する

In

```
%matplotlib inline

import numpy as np
import matplotlib.pyplot as plt

a = 1.5  # a: 定数
x = np.linspace(-1,1)  # x: 変数 -1から1の範囲
y = a * x  # y: 変数
```

```
plt.plot(x, y)
plt.xlabel("x", size=14)
plt.ylabel("y", size=14)
plt.grid()
plt.show()
```

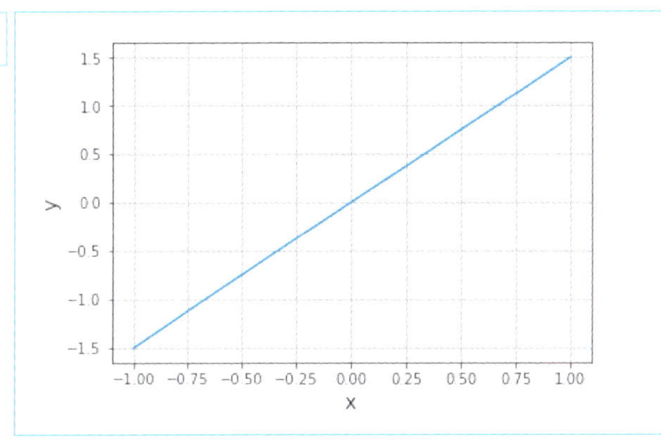

$y = ax$の式に従い直線が描画されました。この場合、xとyの値は変化していても、aの値は変化していません。

3-1-3 演習

問題

リスト3.2のコードにおける定数**b**の値を好きなように決めて、直線を描画してみましょう。

リスト3.2 問題

In

```
import numpy as np
import matplotlib.pyplot as plt

b =  # b: 定数
x = np.linspace(-1,1)  # x: 変数
```

```
y = b * x  # y: 変数

plt.plot(x, y)
plt.xlabel("x", size=14)
plt.ylabel("y", size=14)
plt.grid()
plt.show()
```

解答例

リスト3.3 解答例

In

```
import numpy as np
import matplotlib.pyplot as plt

b = 3  # b: 定数
x = np.linspace(-1,1) # x: 変数
y = b * x  # y: 変数

plt.plot(x, y)
plt.xlabel("x", size=14)
plt.ylabel("y", size=14)
plt.grid()
plt.show()
```

Out

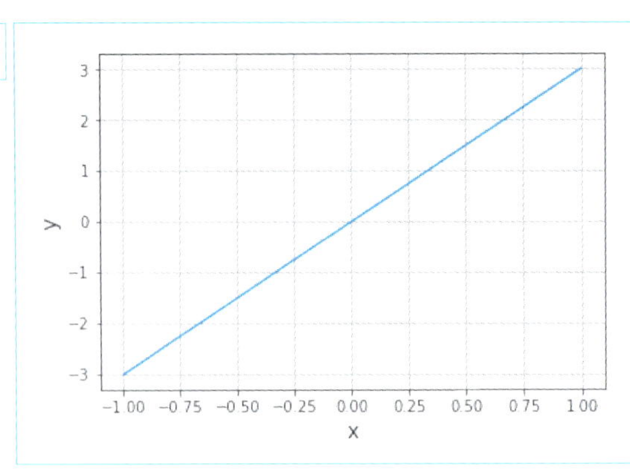

3.2 関数

関数は、数式を扱う上で基本となる概念です。

3-2-1 関数とは

関数とは、ある値xを決めるとそれに従属的な値yが決まる関係のことです。

例えば、xを決めるとyの値が決定されるとき、関数fを次のように表すことができます。

$$y = f(x)$$

これは、yがxの関数である、ということを意味します。

3-2-2 関数の例

以下に、関数$y = f(x)$の例を示します。

$$y = 3x$$
$$y = 3x + 2$$
$$y = 3x^2 + 2x + 1$$

これらはすべて、xの値を決めることでyの値が従属的に決まります。

3-2-3 数学の関数と、プログラミングの関数の違い

数学における「関数」と、プログラミングにおける「関数」には同じ名前が使われているので、混乱のもとになってしまうかもしれません。

数学における関数は、$y = f(x)$のように表されますが、関数fに入る値xと、処理が行われた上で関数から出ていく値yがあります。

プログラミングにおける関数には、関数に入っていく値として引数があり、関数から出ていく値として返り値があります。そういう意味で数学における関数と似ていますが、引数や返り値がない場合がある点が異なります。また、本書ではよく数学の「関数」をプログラミングの「関数」として実装しますが、数学の世界と異なりコンピュータでは飛び飛びの値しか表現できないので、あくまで近似

にしか過ぎません。

このように、数学の関数とプログラミングの関数は共通点もありますが基本的に異なるものなので、違いを把握しておきましょう。

3-2-4 数学の「関数」を、プログラミングの「関数」で実装

数学の関数$y = 3x + 2$をプログラミングの関数として実装します。実装には、Pythonの関数を使います（リスト3.4）。

リスト3.4 数学の関数を、Pythonの関数で実装する

In

```
import numpy as np

def my_func(x):  # my_funcという名前のPythonの関数で、数式を実装
    return 3*x + 2  # 3x + 2

x = 4  # グローバル変数なので、上記の引数xとは別の変数
y = my_func(x)  # y = f(x)
print(y)
```

Out

```
14
```

今後、数学の関数をプログラミングの関数としてしばしば実装するので、リスト3.4のような記述に慣れておきましょう。

3-2-5 演習

問題

リスト3.5のコードを補完し、数式$y = 4x + 1$をコードで実装しましょう。

リスト3.5 問題

In

```
import numpy as np

```

```
def my_func(x):
    return   # この行でコードを補完する

x = 3
y = my_func(x)  # y = f(x)
print(y)
```

解答例

リスト3.6 解答例

In

```
import numpy as np

def my_func(x):
    return 4*x + 1  # 4x + 1

x = 3
y = my_func(x)  # y = f(x)
print(y)
```

Out

```
13
```

3.3 べき乗と平方根

べき乗と平方根は、数式を記述するのに活躍します。

3-3-1 べき乗とは

同じ数または文字を何度か掛け合わせることを、**べき乗**といいます。
例えば、

$$3 \times 3 \times 3 \times 3 \times 3$$

は、3を5つ掛けていますが、次のように短く表記することができます。

$$3^5$$

これは、3の5乗と読みます。

以上を踏まえて、x、yを変数、aを定数としてべき乗を次のように表すことができます。

$$y = x^a$$

このとき、x、y、aは小数になることもあります。aが0のとき、yは以下の通りに1となります。

$$x^0 = 1$$

また、べき乗に関して以下の関係が成り立ちます。

$$\begin{aligned}(x^a)^b &= x^{ab} \\ x^a x^b &= x^{a+b} \\ x^{-a} &= \frac{1}{x^a}\end{aligned}$$

3-3-2 べき乗をコードで実装

数式$y = x^a$をコードで実装します。Pythonにおいて、べき乗は**で記述します（リスト3.7）。

リスト3.7 べき乗のグラフを描画する

In

```
%matplotlib inline

import numpy as np
import matplotlib.pyplot as plt

def my_func(x):
    a = 3
    return x**a  # xのa乗
```

```
x = np.linspace(0, 2)
y = my_func(x)  # y = f(x)

plt.plot(x, y)
plt.xlabel("x", size=14)
plt.ylabel("y", size=14)
plt.grid()
plt.show()
```

Out

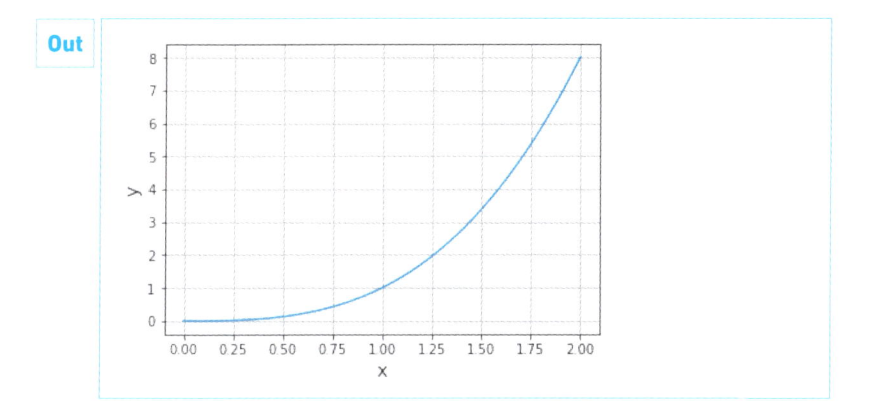

xの値が1のとき、yの値は1に、xの値が2のときにyの値は8になっていますね。それぞれ、1の3乗と2の3乗に対応します。また、xの値が整数でない場合でも、べき乗を連続的に計算できることがわかります。

3-3-3 平方根とは

以下の関係を考えます。

$$y = x^a$$

このとき、$(x^a)^b = x^{ab}$により、$a = \frac{1}{2}$であれば、両辺を2乗すると右辺はxになります。

$$
\begin{aligned}
y^2 &= (x^{\frac{1}{2}})^2 \\
&= x
\end{aligned}
$$

このような、2乗してxになるyのことを、xの**平方根**といいます。

平方根には正の値と負の値があります。例えば、9の平方根は3と-3です。

このうち正の平方根は、$\sqrt{\ }$ の記号を使って次のように記述することができます。

$$y = \sqrt{x}$$

3-3-4 平方根をコードで実装

数式$y = \sqrt{x}$をコードで実装します。正の平方根は、NumPyの**sqrt()**関数で求めることができます（リスト3.8）。

リスト3.8 平方根のグラフを描画する

In

```
import numpy as np
import matplotlib.pyplot as plt


def my_func(x):
    return np.sqrt(x)  # xの正の平方根。x**(1/2) でも同じ


x = np.linspace(0, 9)
y = my_func(x)  # y = f(x)


plt.plot(x, y)
plt.xlabel("x", size=14)
plt.ylabel("y", size=14)
plt.grid()
plt.show()
```

Out

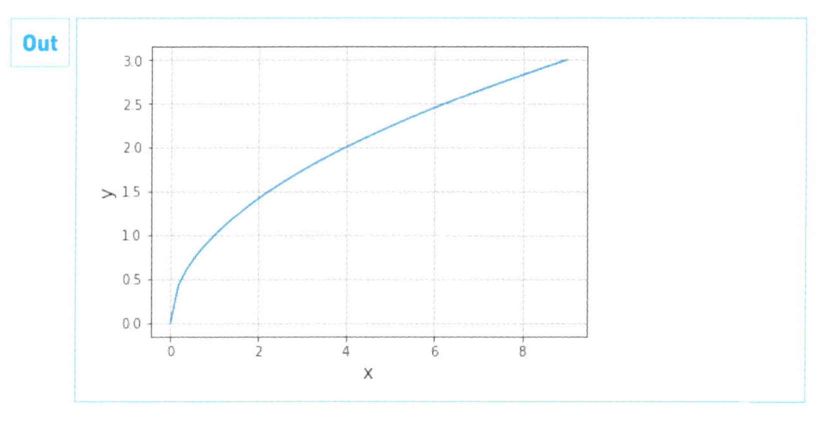

xの値が4のとき、yの値は2に、xの値が9のときにyの値は3になっていますね。それぞれ、4の正の平方根と9の正の平方根に対応します。また、xの値が整数でない場合でも、平方根を連続的に計算できることがわかります。

3.3.5 演習

問題

リスト3.9のコードを補完し、以下の数式のグラフを描画しましょう。

$$y = \sqrt{x} + 1$$

リスト3.9 問題

In

```
import numpy as np
import matplotlib.pyplot as plt


def my_func(x):
    return  # この行でコードを補完する


x = np.linspace(0, 4)
y = my_func(x)  # y = f(x)


plt.plot(x, y)
```

```
plt.xlabel("x", size=14)
plt.ylabel("y", size=14)
plt.grid()
plt.show()
```

解答例

リスト3.10 解答例

In

```
import numpy as np
import matplotlib.pyplot as plt

def my_func(x):
    return np.sqrt(x) + 1

x = np.linspace(0, 4)
y = my_func(x)  # y = f(x)

plt.plot(x, y)
plt.xlabel("x", size=14)
plt.ylabel("y", size=14)
plt.grid()
plt.show()
```

Out

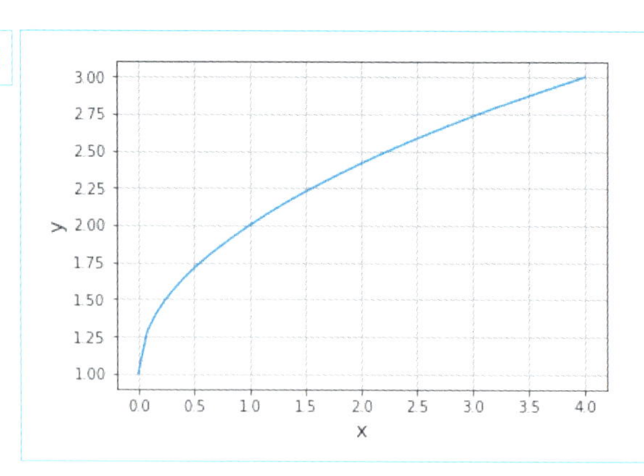

3.4 多項式関数

多項式関数は、最も基本的な関数です。

3-4-1 多項式とは

例えば以下のような、複数の項からなる式を**多項式**といいます。

$$
\begin{aligned}
&2x-1\\
&3x^2+2x+1\\
&4x^3+2x^2+x+3
\end{aligned}
$$

このような式を用いた関数を**多項式関数**といいます。
以下は多項式関数の例です。

$$
\begin{aligned}
y&=2x-1\\
y&=3x^2+2x+1\\
y&=4x^3+2x^2+x+3
\end{aligned}
$$

一般化すると、多項式は次のように表すことができます。

$$y=a_nx^n+a_{n-1}x^{n-1}+\cdots+a_1x+a_0$$

この場合、xの右肩の整数（次数）のうち最大のものはnですが、このような多項式を、**n次の多項式**といいます。

3-4-2 多項式を実装

2次の多項式、$y=3x^2+2x+1$をコードで実装します（リスト3.11）。

リスト3.11 2次の多項式をグラフで描画する

In
```
%matplotlib inline

import numpy as np
import matplotlib.pyplot as plt
```

```
def my_func(x):
    return 3*x**2 + 2*x + 1

x = np.linspace(-2, 2)
y = my_func(x)  # y = f(x)

plt.plot(x, y)
plt.xlabel("x", size=14)
plt.ylabel("y", size=14)
plt.grid()
plt.show()
```

Out

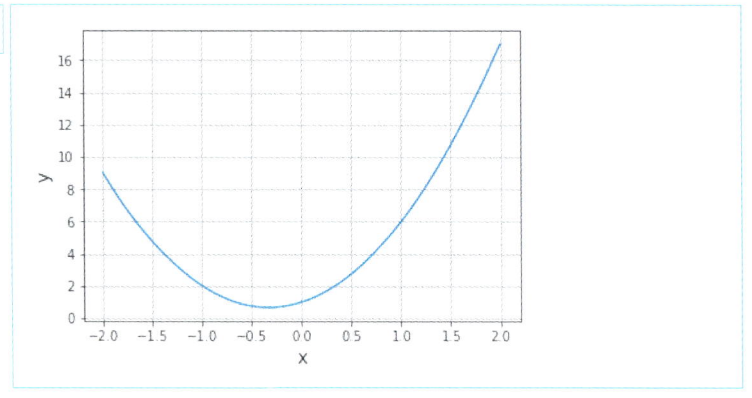

3次の多項式$y = 4x^3 + 2x^2 + x + 3$をコードで実装します（リスト3.12）。

リスト3.12 3次の多項式をグラフで描画する

In

```
import numpy as np
import matplotlib.pyplot as plt

def my_func(x):
    return 4*x**3 + 2*x**2 + x + 3

x = np.linspace(-2, 2)
```

```
y = my_func(x)  # y = f(x)

plt.plot(x, y)
plt.xlabel("x", size=14)
plt.ylabel("y", size=14)
plt.grid()
plt.show()
```

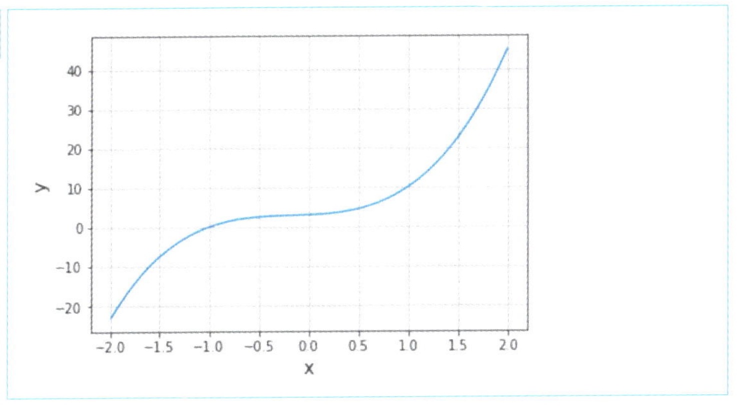

以上のように、PythonとNumPyを用いて多項式を表現することができます。

3-4-3 演習

問題

リスト3.13のコードを補完し、以下の数式のグラフを描画しましょう。

$$y = x^3 - 2x^2 - 3x + 4$$

リスト3.13 問題

In

```
import numpy as np
import matplotlib.pyplot as plt
```

```
def my_func(x):
    return   # この行でコードを補完する

x = np.linspace(-2, 2)
y = my_func(x)  # y = f(x)

plt.plot(x, y)
plt.xlabel("x", size=14)
plt.ylabel("y", size=14)
plt.grid()
plt.show()
```

解答例

リスト3.14 解答例

In

```
import numpy as np
import matplotlib.pyplot as plt

def my_func(x):
    return x**3 - 2*x**2 - 3*x + 4

x = np.linspace(-2, 2)
y = my_func(x)  # y = f(x)

plt.plot(x, y)
plt.xlabel("x", size=14)
plt.ylabel("y", size=14)
plt.grid()
plt.show()
```

Out

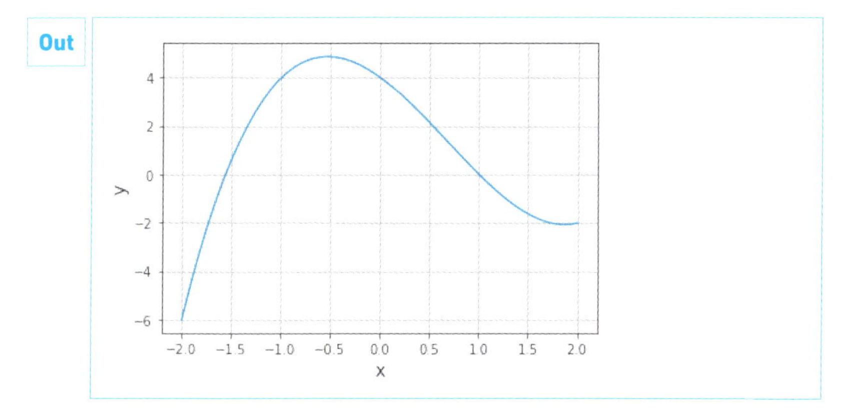

3.5 三角関数

三角関数を用いることで、周期的かつ滑らかに変化する値を扱うことができます。

3-5-1 三角関数とは

図3.1 のような直角三角形を考えます。

直角を挟む辺がa、bで、直角の向かい側の辺がcです。そして、辺a、cが挟む角がθです。

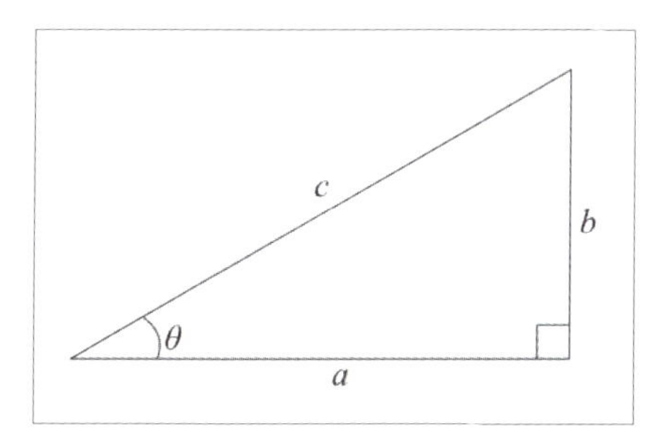

図3.1 直角三角形の辺と角

この三角形で、角度θと各辺の関係を次のように定義します。

$$\sin\theta = \frac{b}{c}$$

$$\cos\theta = \frac{a}{c}$$

$$\tan\theta = \frac{b}{a}$$

$\sin\theta$、$\cos\theta$、$\tan\theta$を**三角関数**といいます。sinはサイン、cosはコサイン、tanはタンジェントと読みます。三角関数は以下の関係を満たします。

$$(\sin\theta)^2 + (\cos\theta)^2 = 1$$
$$\tan\theta = \frac{\sin\theta}{\cos\theta}$$

なお、角度θの単位にはラジアンをよく使います。π（=3.14159...）ラジアンが180°に相当します。例えば、90°は$\frac{\pi}{2}$ラジアンです。

3-5-2 三角関数を実装

数式$y = \sin x$、$y = \cos x$をコード（リスト3.15）で実装します。角度xによって、三角関数yがどのように変化するか確かめましょう。

NumPyの**sin()**関数と**cos()**関数を使いますが、引数の単位はラジアンになります。円周率は、**np.pi**で取得することができます。

リスト3.15 sin()関数とcos()関数をグラフで描画する

In
```
%matplotlib inline

import numpy as np
import matplotlib.pyplot as plt

def my_sin(x):
    return np.sin(x)  # sin(x)

def my_cos(x):
    return np.cos(x)  # cos(x)
```

```
x = np.linspace(-np.pi, np.pi)  # -πからπ（ラジアン）まで
y_sin = my_sin(x)
y_cos = my_cos(x)

plt.plot(x, y_sin, label="sin")
plt.plot(x, y_cos, label="cos")
plt.legend()

plt.xlabel("x", size=14)
plt.ylabel("y", size=14)
plt.grid()

plt.show()
```

Out

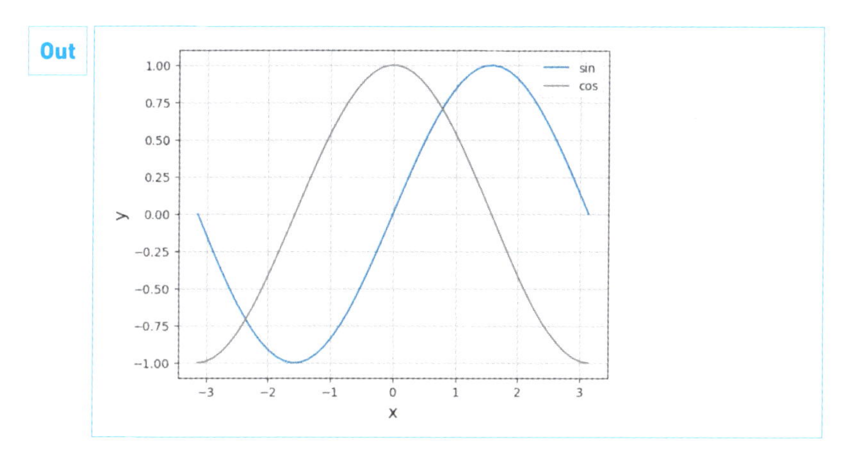

両者ともに、yの値が-1から1の範囲で緩やかなカーブを描きます。**sin()**関数は、**cos()**関数をx方向に$\frac{\pi}{2}$だけずらしたものになります。

続いて、数式$y = \tan x$をコードで実装します。角度xによって、三角関数yがどのように変化するか確かめましょう。

NumPyの**tan()**関数を使いますが、引数の単位は同じくラジアンになります（リスト3.16）。

リスト3.16 **tan()** 関数をグラフで描画する

In

```
import numpy as np
import matplotlib.pyplot as plt

def my_tan(x):
    return np.tan(x)  # tan(x)

x = np.linspace(-1.3, 1.3)  # -1.3から1.3（ラジアン）まで
y_tan = my_tan(x)

plt.plot(x, y_tan, label="tan")
plt.legend()

plt.xlabel("x", size=14)
plt.ylabel("y", size=14)
plt.grid()

plt.show()
```

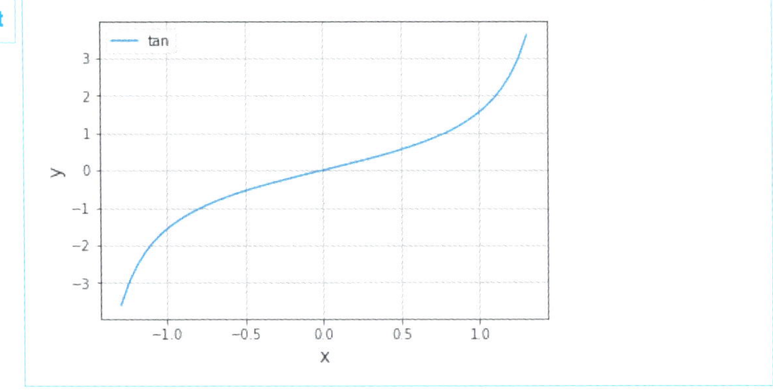

tan() 関数は、$-\frac{\pi}{2}$より大きく$\frac{\pi}{2}$より小さい範囲で滑らかに変化します。この範囲で$-\frac{\pi}{2}$に近づくと無限に小さくなり、$\frac{\pi}{2}$に近づくと無限に大きくなります。

3-5-3 演習

問題

数式$y = \sin x$、$y = \cos x$のグラフを様々なxの範囲で描画しましょう（リスト3.17）。

リスト3.17 問題

In

```
import numpy as np
import matplotlib.pyplot as plt

def my_sin(x):
    return np.sin(x)  # sin(x)

def my_cos(x):
    return np.cos(x)  # cos(x)

x = np.linspace(, )  # xの範囲を指定
y_sin = my_sin(x)
y_cos = my_cos(x)

plt.plot(x, y_sin, label="sin")
plt.plot(x, y_cos, label="cos")
plt.legend()

plt.xlabel("x", size=14)
plt.ylabel("y", size=14)
plt.grid()

plt.show()
```

解答例

リスト3.18 解答例

In

```
import numpy as np
import matplotlib.pyplot as plt

def my_sin(x):
    return np.sin(x)  # sin(x)

def my_cos(x):
    return np.cos(x)  # cos(x)

x = np.linspace(-2*np.pi, 2*np.pi)  # xの範囲を指定
y_sin = my_sin(x)
y_cos = my_cos(x)

plt.plot(x, y_sin, label="sin")
plt.plot(x, y_cos, label="cos")
plt.legend()

plt.xlabel("x", size=14)
plt.ylabel("y", size=14)
plt.grid()

plt.show()
```

Out

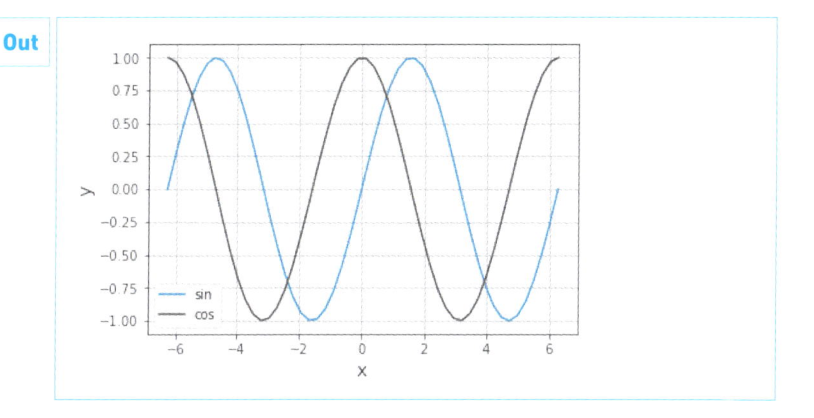

3.6 総和と総乗

総和と総乗を簡潔な記号で記述し、NumPyで実装する方法を学びます。

3-6-1 総和とは

総和とは、次のように複数の数値をすべて足し合わせることです。

$$1 + 3 + 2 + 5 + 4$$

これを、数値の総数がn個として一般化すると次のようになります。

$$a_1 + a_2 + \cdots + a_{n-1} + a_n$$

これは、Σ（シグマ）を用いて次のように短く記述することができます。

$$\sum_{k=1}^{n} a_k$$

以前に扱った多項式の一般形は、Σを用いて短く記述することができます。

$$\begin{aligned} y &= a_n x^n + a_{n-1} x^{n-1} + \cdots + a_1 x + a_0 \\ &= \sum_{k=0}^{n} a_k x^k \end{aligned}$$

3-6-2 総和を実装

以下の総和をコード（リスト3.19）で実装します。総和は、NumPyの**sum()**関数を使って簡単に求めることができます。

$$a_1 = 1, a_2 = 3, a_3 = 2, a_4 = 5, a_5 = 4$$

$$y = \sum_{k=1}^{5} a_k$$

リスト3.19 NumPyの**sum()**関数で総和を求める

In

```
import numpy as np

a = np.array([1, 3, 2, 5, 4])  # a1からa5まで
y = np.sum(a)  # 総和
print(y)
```

Out

```
15
```

sum()関数で、配列の要素がすべて足し合わされたことが確認できました。

3-6-3 総乗とは

総乗とは、以下のように複数の数値をすべて掛け合わせることです。

$$1 \times 3 \times 2 \times 5 \times 4$$

これを、数値の総数がn個として一般化すると次のようになります。

$$a_1 a_2 \cdots a_{n-1} a_n$$

これは、Π（パイ）の記号を用いて次のように短く記述することができます。

$$\prod_{k=1}^{n} a_k$$

3-6-4 総乗を実装

以下の総乗をコード（リスト3.20）で実装します。総乗は、NumPyの**prod()**関数を使って簡単に求めることができます。

$$a_1 = 1, a_2 = 3, a_3 = 2, a_4 = 5, a_5 = 4$$

$$y = \prod_{k=1}^{5} a_k$$

リスト3.20 NumPyの**prod()**関数で総乗を求める

In

```
import numpy as np

a = np.array([1, 3, 2, 5, 4])  # a1からa5まで
y = np.prod(a)  # 総乗
print(y)
```

Out

```
120
```

リスト3.20のように、**prod()**関数で配列の要素がすべて掛け合わされます。

3-6-5 演習

問題

リスト3.21のコードにおける配列**b**の、総和と総乗を計算し表示しましょう。

リスト3.21 問題

In

```
import numpy as np

b = np.array([6, 1, 5, 4, 3, 2])

  # 総和
  # 総乗
```

解答例

リスト3.22 解答例

In
```
import numpy as np

b = np.array([6, 1, 5, 4, 3, 2])

print(np.sum(b))  # 総和
print(np.prod(b))  # 総乗
```

Out
```
21
720
```


3.7 乱数

乱数は、規則性がなく予測できない数値です。人工知能では、パラメータの初期化などに乱数が活用されます。

3-7-1 乱数とは

例えば、サイコロを投げる際には、上の面が決定するまで1から6のどの数値が出るのかわかりません。乱数とはこのような未確定の数値のことです。

リスト3.23は、サイコロのように1から6の値をランダムに返すコードです。NumPyの**random.randint()**関数に整数**a**を引数として渡すと、0から$a-1$までの整数を乱数で返します。

リスト3.23 1から6までの、整数の乱数を生成する

In
```
import numpy as np

r_int = np.random.randint(6) + 1 ➡
# 0から5までの乱数に、1を加える
print(r_int)  # 1から6までがランダムに表示される
```

Out

```
4
```

リスト3.23のコードは、実行するたびに1から6までがランダムに表示されます。このように、乱数は実行するまで値がわかりません。

小数の乱数を得ることもできます。リスト3.24は、NumPyの**random.rand()**関数を使って0から1までの間の小数をランダムに表示するコードです。

リスト3.24 0から1までの、小数の乱数を生成する

In

```
import numpy as np

r_dec = np.random.rand()    # 0から1の間の小数を、ランダムに返す
print(r_dec)
```

Out

```
0.29113778627902687
```

リスト3.24のコードを実行するたびに、0と1の間の小数がランダムに表示されます。

3-7-2 均一な乱数

先ほどの**random.rand()**関数は、0から1の間の小数を均等な確率で返します。この関数に整数**a**を引数として渡すと、**a**個の均一な確率の乱数が返されます。

リスト3.25のコードは、多数のそのような乱数をx座標、y座標とします。これにより、乱数が均一であることを確認します。

リスト3.25 乱数の均一な分布

In

```
%matplotlib inline

import numpy as np
import matplotlib.pyplot as plt
```

```
n = 1000  # サンプル数
x = np.random.rand(n)  # 0-1の均一な乱数
y = np.random.rand(n)  # 0-1の均一な乱数

plt.scatter(x, y)  # 散布図のプロット
plt.grid()
plt.show()
```

Out

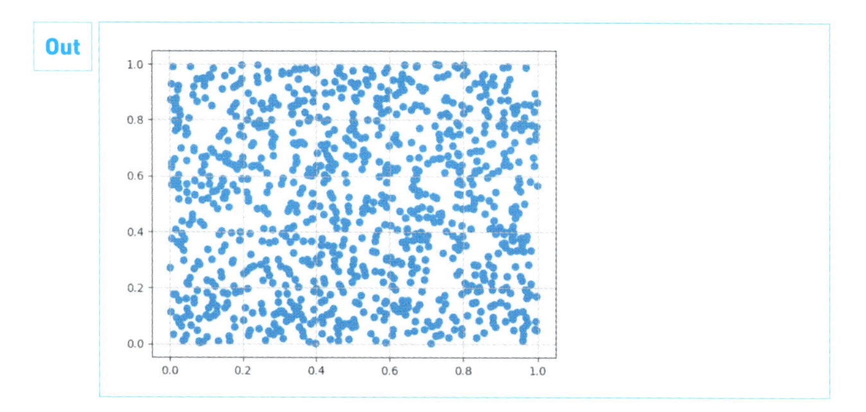

x座標、y座標ともに、乱数が均一に分布していることが確認できます。

3-7-3 偏った乱数

乱数の確率は、均一であるとは限りません。NumPyの**random.randn()**関数は、正規分布という分布に従う確率で乱数を返します。正規分布では、中央で確率が高く、両端で確率が低くなります。正規分布について、詳しくは後の章で解説します。

リスト3.26のコードは、正規分布に従う多数の乱数をx座標、y座標とします。これにより、乱数の偏りを確認します。

リスト3.26 正規分布に従う乱数の分布

In

```
import numpy as np
import matplotlib.pyplot as plt


n = 1000  # サンプル数
```

```
x = np.random.randn(n)  # 正規分布に従う乱数
y = np.random.randn(n)  # 正規分布に従う乱数

plt.scatter(x, y)  # 散布図のプロット
plt.grid()
plt.show()
```


Out

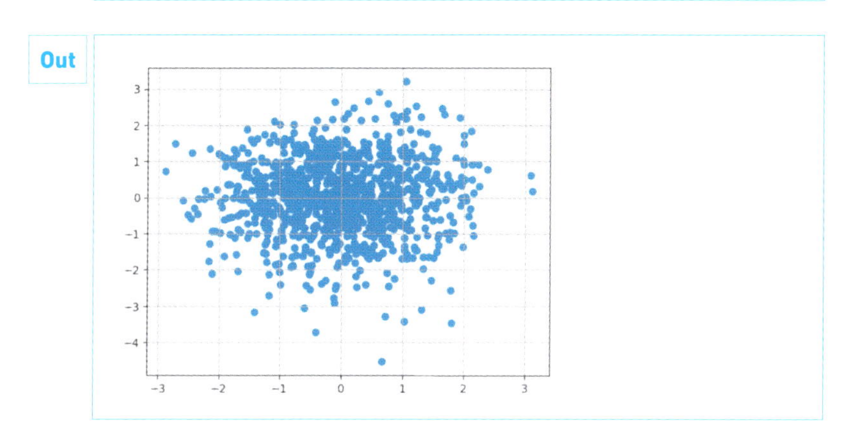

乱数が、中央に偏って分布していることが確認できますね。人工知能においては、パラメータの初期値を決めるためにしばしば乱数を使用します。乱数がどのような分布になるのか、ある程度イメージできるようになっておきましょう。

3.7.4 演習

問題

リスト3.27のコードを補完し、実行するたびに1から10までの整数がランダムに表示されるようにしましょう。

リスト3.27 問題

In

```
import numpy as np

r_int =     # この行でコードを補完する
print(r_int)  # 1から10までがランダムに表示される
```

解答例

リスト3.28 解答例

In
```
import numpy as np

r_int =  np.random.randint(10) + 1  # この行でコードを補完する
print(r_int)  # 1から10までがランダムに表示される
```

Out
```
6
```

3.8 LaTeXの基礎

LaTeX（ラテック、ラテフ）という文書処理システムを使って、数式をきれいに記述する方法を学びます。LaTeXを習得すれば、見栄えがよくて再利用可能な数式が手軽に記述できるようになります。

3-8-1 LaTeXとは

Jupyter Notebookでは、LaTeXという文書処理システムを使って数式を記述することができます。

以下の数式を、LaTeXを使って記述してみましょう。

$$y = 2x + 1$$

Jupyter Notebookのセルのタイプを「マークダウン」にして、リスト3.29のように記述し実行します（図3.2）。

リスト3.29 記述例

In
```
$$y=2x+1$$
```

```
$$y=2x+1$$
```

図3.2 セルに数式を記述する（実行前）

記述に問題がなければ、図3.3のように数式が表示されるはずです。

$$y = 2x + 1$$

図3.3 セルに数式を記述する（実行後）

以上のように、「マークダウン」のセルでは二重の**$**の中に数式を表すLaTeXのコードを記述します。また、文章中に数式を挿入する際は、**$y=2x+1$**のように一重の**$**の中にコードを記述します。

3-8-2 様々な数式の記述

LaTeXで様々な数式を記述してみましょう。

添字と累乗

_と**^**の記号を使って、右下の添字や右上の累乗を記述することができます。添字が複数ある場合は、**{}**で囲みます（表3.1）。

表3.1 添字と累乗（数式例とLaTeXの記述）

数式の例	LaTeXの記述
a_1	**a_1**
a_{ij}	**a_{ij}**
b^2	**b^2**
b^{ij}	**b^{ij}**
c_1^2	**c_1^2**

多項式

添字や累乗を用いて多項式を記述することができます。

数式の例：$y = x^3 + 2x^2 + x + 3$
LaTeXの記述：**y=x^3+2x^2+x+3**

平方根

\sqrtの記述により、$\sqrt{\ }$の記号を記述することができます。

数式の例：$y = \sqrt{x}$
LaTeXの記述：**y=\sqrt x**

三角関数

\sinや**\cos**の記述により、三角関数を記述することができます。

数式の例：$y = \sin x$
LaTeXの記述：**y=\sin x**

分数

\frac{}{}の記述により、分数を記述することができます。

数式の例：$y = \frac{17}{24}$
LaTeXの記述：**y=\frac{17}{24}**

総和

\sumの記述により、$\sum$の記号を記述することができます。

数式の例：$y = \sum_{k=1}^{n} a_k$
LaTeXの記述：**y=\sum_{k=1}^n a_k**

総乗

\prodの記述により、$\prod$の記号を記述することができます。

数式の例：$y = \prod_{k=1}^{n} a_k$

LaTeXの記述：**y=\prod_{k=1}^n a_k**

LaTeXには他にも様々な記法があります。興味のある方は、ご自身で調べてみましょう。

3-8-3 演習

問題

以下の数式を、Jupyter NotebookのセルにLaTeX形式で記述してみましょう。

$$y = x^3 + \sqrt{x} + \frac{a_{ij}}{b_{ij}^4} - \sum_{k=1}^{n} a_k$$

解答例

リスト3.30 解答例

In

```
$$y=x^3 + \sqrt x + \frac{a_{ij}}{b_{ij}^4} - ➡
\sum_{k=1}^n a_k$$
```

3.9 絶対値

絶対値は、数値の0からの距離を表します。人工知能において、0（ゼロ）を中心とした値の広がり具合を把握するために使われることがあります。

3-9-1 絶対値とは

絶対値は、値の正負を無視して得られる負でない値のことです。負の値の絶対値は、その値から負の符号を取り除いたものです。正の値の絶対値は、その値そのものです。値**x**の絶対値は、$|x|$と表記されますが、次のようにして求めることができます。

$$|x| = \begin{cases} -x & (x < 0) \\ x & (x \geqq 0) \end{cases}$$

以下は、絶対値の例です。

$$\begin{aligned} |-5| &= 5 \\ |5| &= 5 \\ |-1.28| &= 1.28 \\ |\sqrt{5}| &= \sqrt{5} \\ |-\frac{\pi}{2}| &= \frac{\pi}{2} \end{aligned}$$

絶対値は、NumPyの**abs()**関数を使って求めることができます。リスト3.31では、リストに格納した様々な値の絶対値を、**abs()**関数を使って一度に求めています。

リスト3.31 **abs()**関数を使って絶対値を求める

In

```
import numpy as np

x = [-5, 5, -1.28, np.sqrt(5), -np.pi/2] ➡
# 様々な値をリストに格納する
print(np.abs(x))  # 絶対値を求める
```

Out

```
[5.         5.         1.28       2.23606798 1.57079633]
```

正の値は正のままですが、負の値は正の値に変換されていることが確認できますね。

3-9-2 関数の絶対値

絶対値のイメージを把握するために、関数の絶対値を求めてグラフに表示してみましょう。リスト3.32のコードは、**sin()**関数と**cos()**関数の絶対値を求めてグラフに表示します。

リスト3.32 三角関数の絶対値

In

```
%matplotlib inline

import numpy as np
import matplotlib.pyplot as plt

x = np.linspace(-np.pi, np.pi)  # -πからπ（ラジアン）まで
y_sin = np.abs(np.sin(x))  # sin()関数の絶対値をとる
y_cos = np.abs(np.cos(x))  # cos()関数の絶対値をとる

plt.scatter(x, y_sin, label="sin")
plt.scatter(x, y_cos, label="cos")
plt.legend()

plt.xlabel("x", size=14)
plt.ylabel("y", size=14)
plt.grid()

plt.show()
```

Out

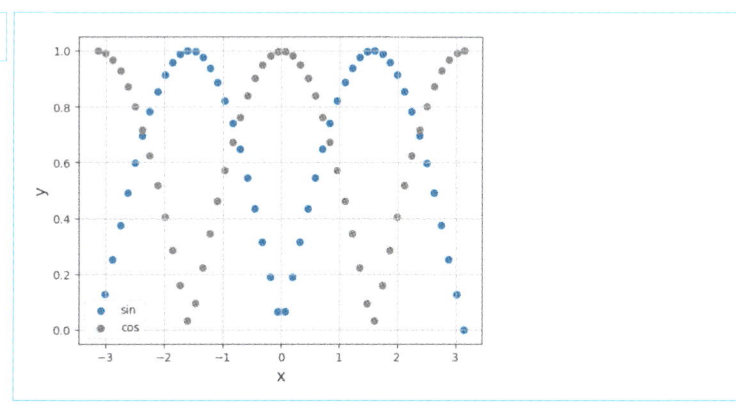

三角関数の、負の領域が反転しています。これは、三角関数の「0からの距離」と捉えることができます。リスト3.32のグラフからもわかる通り、絶対値を使うことで値の正負によらず0からの離れ具合を把握することができます。

3-9-3 演習

問題

リスト3.33のコードにおける2次関数の絶対値をとり、グラフがどのように変化するのか確かめてみましょう。

リスト3.33 問題

In

```
import numpy as np
import matplotlib.pyplot as plt

x = np.linspace(-4, 4)
y = x**2 - 4  # この2次関数の絶対値をとる

plt.scatter(x, y)

plt.xlabel("x", size=14)
plt.ylabel("y", size=14)
plt.grid()

plt.show()
```

解答例

リスト3.34 解答例

In

```
import numpy as np
import matplotlib.pyplot as plt

x = np.linspace(-4, 4)
```

```
y = np.abs(x**2 - 4)  # この2次関数の絶対値をとる

plt.scatter(x, y)

plt.xlabel("x", size=14)
plt.ylabel("y", size=14)
plt.grid()

plt.show()
```

Out

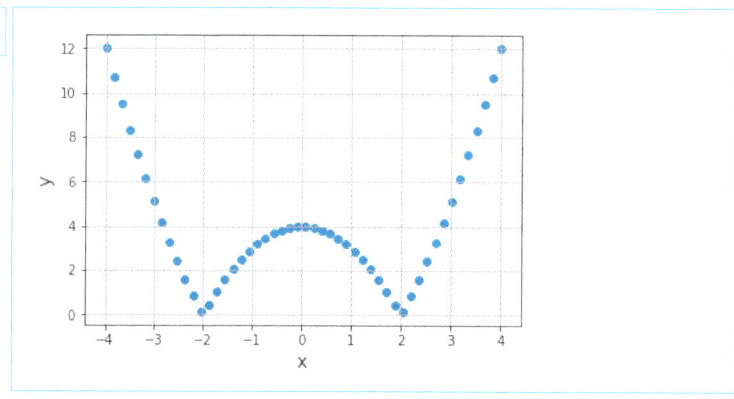

COLUMN

ディープラーニングが躍進する理由

コンピュータのプログラムで作った人工的な神経細胞は、層状に多数集めることで高い表現力を発揮します。このような層を重ねたネットワークをニューラルネットワークといいますが、多数の層からなるニューラルネットワーク（ディープニューラルネットワーク）を使った機械学習を、ディープラーニング（深層学習）といいます。人工知能、機械学習のアルゴリズムには、遺伝的アルゴリズムやサポートベクターマシンなど様々なものがありますが、第3次AIブームの主役はディープラーニングです。ディープラーニングは、現在世界中の人々の関心を集めており、自動運転、ファイナンス、流通、アート、研究、さらには宇宙探索に到るまで、様々な分野で活用されはじめています。そして、現在躍進中の生成AIのベースとなっています。

なぜ、ディープラーニングはこれほど注目を集めているのでしょうか。以下に、考えられる理由を3つほど挙げます。

1つ目は、その高い性能です。ディープラーニングは、他の手法と比較して圧倒的に高い精度をしばしば発揮します。
その例の1つは、2012年における画像認識のコンテストILSVRCにおいて、ジェフリー・ヒントンが率いるトロント大学のチームがディープラーニングによって機械学習の研究者に衝撃を与えたことです。従来の手法はエラー率が26%程度だったのですが、ディープラーニングによりエラー率は17%程度まで劇的に改善しました。それ以降、ILSVRCでは毎年ディープラーニングを採用したチームが上位を占めるようになりました。
ときには、ディープラーニングは部分的ながらもヒトを凌駕する認識、判断能力を発揮することさえあります。2015年にDeepMind社による「AlphaGo」が人間のプロ囲碁棋士に勝利したことは、その例ともいえるでしょう。

2つ目は、その汎用性です。ディープラーニングは、非常に広範な範囲で応用することが可能です。
ディープラーニングが応用可能な分野ですが、物体認識、翻訳エンジン、会話エンジン、ゲーム用AI、製造業における異常検知、病巣部の発見、資産運用、セキュリティ、流通など枚挙にいとまがありません。
これまでヒトのみが活躍できた様々な分野で、部分的ながらもディープラーニングはヒトに置き換わりつつあります。

3つ目は、ニューラルネットワークが脳の神経細胞ネットワークを抽象化していることです。これにより、脳のような知能を持つ人工知能が実現できるのではないか、という期待感を世間一般で集めています。ディープラーニングの仕組みと脳の仕組みは相違点も多いのですが、人工ニューラルネットワークが高い性能を発揮することは、生命が持つ知能は実は人工的に再現可能なのではないか、という希望を私たちに抱かせているようにも思えます。

2025年現在は第4次AIブームの最中で、ディープラーニングを用いた生成AIが主役となっています。ディープラーニング技術はこのまま活躍を続けることが予想されますが、ディープラーニング以外の新たなアルゴリズムが台頭する可能性も否定はできません。
ディープラーニングは正解が必要な「教師あり学習」ですが、実際の大脳では正解のない「教師なし学習」が行われているようです。躍進する生成AIはこのまま汎用人工知能（AGI）の実現へとつながっていくのかもしれませんが、ディープラーニングがその核であり続けるのでしょうか。

第4章 線形代数

線形代数は、多次元の構造を持った数値の並びを扱う数学の分野の1つです。そのような多次元の構造には、スカラー、ベクトル、行列、テンソルと呼ばれるものがあります。人工知能では非常に多くの数値を扱う必要があるのですが、線形代数を用いれば多くの数値に対する処理を簡潔な数式で記述することができます。そして、その数式はNumPyで簡単にコードに落とし込むことができます。

線形代数を本格的に学ぼうとすると労力と時間が必要なのですが、この章で扱うのは人工知能の学習をはじめるのに必要な範囲に絞ります。

線形代数を活用し、多数の数値データを効率よく扱えるようになりましょう。

4.1 スカラー、ベクトル、行列、テンソル

複数のデータをひとまとめにして扱う方法を学びます。人工知能では大量のデータを扱うため、スカラー、ベクトル、行列、テンソルは大事な概念です。

4-1-1 スカラーとは

スカラー（scalar）は1、5、1.2、-7などの通常の数値のことです。本書では、数式におけるアルファベット、もしくはギリシャ文字の小文字はスカラーを表すものとします。

スカラーの表示例：a、p、α、γ

4-1-2 スカラーの実装

Pythonで扱う通常の数値は、このスカラーに対応します。リスト4.1はコード上におけるスカラーの例です。

リスト4.1 スカラーの例

In

```
a = 1
b = 1.2
c = -0.25
d = 1.2e5   # 1.2x10の5乗 120000
```

4-1-3 ベクトルとは

ベクトルは、スカラーを直線上に並べたものです。本書における数式では、アルファベットの小文字に矢印を乗せたものでベクトルを表します。以下はベクトルの表記の例です。

$$
\vec{a} = \begin{pmatrix} 1 \\ 2 \\ 3 \end{pmatrix}
$$

$$
\vec{b} = (-2.4, 0.25, -1.3, 1.8, 0.61)
$$

$$
\vec{p} = \begin{pmatrix} p_1 \\ p_2 \\ \vdots \\ p_m \end{pmatrix}
$$

$$
\vec{q} = (q_1, q_2, \cdots, q_n)
$$

ベクトルには、上記の$\vec{a}$、$\vec{p}$のように縦に数値を並べる縦ベクトルと、$\vec{b}$、$\vec{q}$のように横に数値を並べる横ベクトルがあります。本書では、今後横ベクトルを主に使うので、単にベクトルと記述する際は横ベクトルを指すことにします。また、$\vec{p}$、$\vec{q}$に見られるように、ベクトルの要素を変数で表す際の添字の数は1つです。

4-1-4 ベクトルの実装

ベクトルは、NumPyの1次元配列を用いて リスト4.2 のように表すことができます。

リスト4.2 ベクトルをNumPyの1次元配列で表す

In

```
import numpy as np


a = np.array([1, 2, 3])  # 1次元配列でベクトルを表す
print(a)


b = np.array([-2.4, 0.25, -1.3, 1.8, 0.61])
print(b)
```

Out

```
[1 2 3]
[-2.4   0.25 -1.3   1.8   0.61]
```

数値が、直線上に並んでいることが確認できます。

4-1-5 行列とは

行列はスカラーを格子状に並べたもので、例えば以下のように表記します。

$$
\begin{pmatrix}
0.12 & -0.34 & 1.3 & 0.81 \\
-1.4 & 0.25 & 0.69 & -0.41 \\
0.25 & -1.5 & -0.15 & 1.1
\end{pmatrix}
$$

行列において、水平方向のスカラーの並びを**行**、垂直方向のスカラーの並びを**列**といいます。行列における行と列を、図4.1に示します。

	1列目	2列目	3列目	4列目
1行目	0.12	−0.34	1.3	0.81
2行目	−1.4	0.25	0.69	−0.41
3行目	0.25	−1.5	−0.15	1.1

図4.1 行列における行と列

行は、上から1行目、2行目、3行目、...と数えます。列は、左から1列目、2列目、3列目、...と数えます。また、行がm個、列がn個並んでいる行列を、$m \times n$の行列と表現します。従って、図4.1の行列は、3×4の行列になります。

なお、以下に示すように縦ベクトルは列の数が1の行列と、横ベクトルは行の数が1の行列と考えることもできます。

$$
\begin{pmatrix}
0.12 \\
-1.4 \\
0.25
\end{pmatrix}
$$

$$
\begin{pmatrix}
-0.12 & -0.34 & 1.3 & 0.81
\end{pmatrix}
$$

本書における数式では、アルファベット大文字のイタリックで行列を表します。以下は行列の表記の例です。

$$A = \begin{pmatrix} 0 & 1 & 2 \\ 3 & 4 & 5 \end{pmatrix}$$

$$P = \begin{pmatrix} p_{11} & p_{12} & \cdots & p_{1n} \\ p_{21} & p_{22} & \cdots & p_{2n} \\ \vdots & \vdots & \ddots & \vdots \\ p_{m1} & p_{m2} & \cdots & p_{mn} \end{pmatrix}$$

行列Aは2×3の行列で、行列Pは$m \times n$の行列です。

また、Pに見られるように、行列の要素を変数で表す際の添字の数は2つです。

4-1-6 行列の実装

NumPyの2次元配列を用いると、例えば リスト4.3 のように行列を表現することができます。

リスト4.3 行列をNumPyの2次元配列で表す

In

```
import numpy as np


a = np.array([[1, 2, 3],
              [4, 5, 6]])  # 2×3の行列
print(a)


b = np.array([[0.21, 0.14],
              [-1.3, 0.81],
              [0.12, -2.1]])  # 3×2の行列
print(b)
```

Out

```
[[1 2 3]
 [4 5 6]]
[[ 0.21  0.14]
 [-1.3   0.81]
 [ 0.12 -2.1 ]]
```

数値が格子状に並んでいることを確認できます。

4-1-7 テンソルとは

テンソルはスカラーを複数の次元に並べたもので、スカラー、ベクトル、行列を含みます。テンソルの概念を 図4.2 に示します。

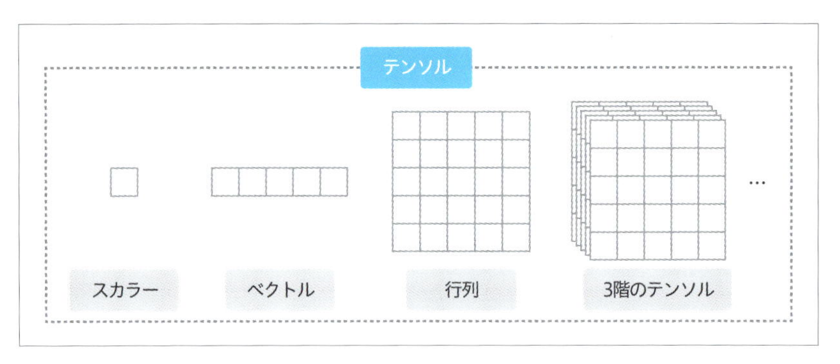

図4.2 スカラー、ベクトル、行列とテンソルの関係

各要素に付く添字の数を、そのテンソルの階数といいます。スカラーには添字がないので0階のテンソル、ベクトルは添字が1つなので1階のテンソル、行列は添字が2つなので2階のテンソルになります。より高次元なものは、3階のテンソル、4階のテンソル、...となります。

ATTENTION

テンソル

数学や物理学においては、テンソルはより複雑な方法で定義されます。しかしながら、本書では機械学習での利便性を重視し簡単な方法でテンソルを解説しています。本書におけるテンソルの定義は大雑把なものであることにご留意ください。

4-1-8 テンソルの実装

NumPyの多次元配列を用いると、リスト4.4 のように3階のテンソルを表現することができます。

リスト4.4 3階のテンソルをNumPyの配列で表す

In

```
import numpy as np

a = np.array([[[0, 1, 2, 3],
               [2, 3, 4, 5],
               [4, 5, 6, 7]],

              [[1, 2, 3, 4],
               [3, 4, 5, 6],
               [5, 6, 7, 8]]])  ➡
# (2, 3, 4)の3階のテンソル
print(a)
```

Out

```
[[[0 1 2 3]
  [2 3 4 5]
  [4 5 6 7]]

 [[1 2 3 4]
  [3 4 5 6]
  [5 6 7 8]]]
```

行列が2つ並んでいるのが確認できます。**リスト4.4**のコードにおける**a**は、3階のテンソルです。NumPyの多次元配列により、さらに階数の多いテンソルを表現することも可能です。

4.1.9 演習

問題

Jupyter Notebookのセルに、NumPyでスカラー、ベクトル、行列、3階のテンソルを表す配列を1つずつ記述し表示してみましょう。

解答例

リスト4.5 解答例

In

```
import numpy as np

# スカラー
a = 1.5
print(a)

print()

# ベクトル
b = np.array([1, 2, 3, 4, 5])
print(b)

print()

# 行列
c = np.array([[1, 2, 3],
              [4, 5, 6]])
print(c)

print()

# 3階のテンソル
d = np.array([[[0, 1, 2],
               [3, 4, 5],
               [6, 7, 8]],

              [[8, 7, 6],
               [5, 4, 3],
               [2, 1, 0]]])
print(d)
```

Out

```
1.5

[1 2 3 4 5]

[[1 2 3]
 [4 5 6]]

[[[0 1 2]
  [3 4 5]
  [6 7 8]]

 [[8 7 6]
  [5 4 3]
  [2 1 0]]]
```


4.2 ベクトルの内積とノルム

ベクトルの内積とノルムの意義と計算方法を学びます。ベクトルの操作に慣れていきましょう。

4-2-1 内積とは

内積はベクトル同士の積の一種ですが、以下のように各要素同士の積の総和として定義されます。

$$\vec{a} = (a_1, a_2, \cdots, a_n)$$
$$\vec{b} = (b_1, b_2, \cdots, b_n)$$

上記のとき、$\vec{a}$と$\vec{b}$の内積が$\vec{a} \cdot \vec{b}$と表されるとすると、

$$
\begin{aligned}
\vec{a} \cdot \vec{b} &= (a_1, a_2, \cdots, a_n) \cdot (b_1, b_2, \cdots, b_n) \\
&= (a_1 b_1 + a_2 b_2 + \cdots + a_n b_n) \\
&= \sum_{k=1}^{n} a_k b_k
\end{aligned}
$$

内積をとる際は、2つのベクトルの要素数が同じである必要があります。内積は三角関数を使った求め方もありますが、これについては4.8節で解説します。

4-2-2 内積の実装

内積は、NumPyの**dot()**関数で簡単に求めることができます。また、**sum()**関数を使って各要素の積の総和として求めることもできます。両者を比較してみましょう（リスト4.6）。

リスト4.6 ベクトルの内積を計算する

In

```
import numpy as np

a = np.array([1, 2, 3])
b = np.array([3, 2, 1])

print("--- dot()関数 ---")
print(np.dot(a, b))  # dot()関数による内積
print("--- 積の総和 ---")
print(np.sum(a * b))  # 積の総和による内積
```

Out

```
--- dot()関数 ---
10
--- 積の総和 ---
10
```

dot()関数、積の総和ともに同じ結果になりました。内積は、例えば2つのベクトルの相関を求める際などに使用します。相関については第6章で解説します。

4-2-3 ノルムとは

ノルムとはベクトルの「大きさ」を表す量です。人工知能でよく使われるノルムに、「L^2ノルム」と「L^1ノルム」があります。

L^2ノルム

L^2ノルムは次のように$||\vec{x}||_2$と表されます。ベクトルの各要素を2乗和し、平方根をとって計算します。

$$
\begin{aligned}
||\vec{x}||_2 &= \sqrt{x_1^2 + x_2^2 + \cdots + x_n^2} \\
&= \sqrt{\sum_{k=1}^{n} x_k^2}
\end{aligned}
$$

L^1ノルム

L^1ノルムは次のように$||\vec{x}||_1$と表されます。ベクトルの各要素の絶対値を足し合わせて計算します。

$$
\begin{aligned}
||\vec{x}||_1 &= |x_1| + |x_2| + \cdots + |x_n| \\
&= \sum_{k=1}^{n} |x_k|
\end{aligned}
$$

一般化されたノルム

ノルムをより一般化したL^pノルムは次のように表されます。

$$
\begin{aligned}
||\vec{x}||_p &= (|x_1|^p + |x_2|^p + \cdots + |x_n|^p)^{\frac{1}{p}} \\
&= (\sum_{k=1}^{n} |x_k|^p)^{\frac{1}{p}}
\end{aligned}
$$

ノルムには幾通りもの表し方がありますが、人工知能ではこれらを必要に応じて使い分けます。

4-2-4 ノルムの実装

ノルムはNumPyの**linalg.norm()**関数を用いて求めることができます（リスト4.7）。

リスト4.7 linalg.norm()関数を使ってノルムを計算する

In

```
import numpy as np

a = np.array([1, 1, -1, -1])

print("--- L2ノルム ---")
print(np.linalg.norm(a))  # L2ノルム（デフォルト）
print("--- L1ノルム ---")
print(np.linalg.norm(a, 1))  # L1ノルム
```

Out

```
--- L2ノルム ---
2.0
--- L1ノルム ---
4.0
```

以上のように、ノルムの種類によりベクトルの「大きさ」は異なる値となります。

ノルムは、人工知能において**正則化**に使われます。正則化とは、必要以上にネットワークの学習が進んでしまうことをパラメータを調節することにより予防することです。

4-2-5 演習

問題

リスト4.8で、ベクトル$\vec{a}$とベクトル$\vec{b}$の内積、およびベクトル$\vec{a}$のL^2ノルムとL^1ノルムを求めて表示しましょう。

リスト4.8 問題

In

```
import numpy as np

a = np.array([1, -2, 2])
b = np.array([2, -2, 1])

print("--- 内積 ---")



print("--- L2ノルム ---")



print("--- L1ノルム ---")
```

解答例

リスト4.9 解答例

In

```
import numpy as np

a = np.array([1, -2, 2])
b = np.array([2, -2, 1])

print("--- 内積 ---")
print(np.dot(a, b))

print("--- L2ノルム ---")
print(np.linalg.norm(a))

print("--- L1ノルム ---")
print(np.linalg.norm(a, 1))
```

Out

```
--- 内積 ---
8
--- L2ノルム ---
3.0
--- L1ノルム ---
5.0
```


4.3 行列の積

行列同士を掛け合わせる方法を学びます。ベクトル同士の内積を行列に拡張すると、行列の積になります。行列の積は、人工知能で効率的な計算を行うために大事な操作です。

4-3-1 行列の積

一般に「行列の積」という場合、図4.3で示すような少々複雑な演算を指します。

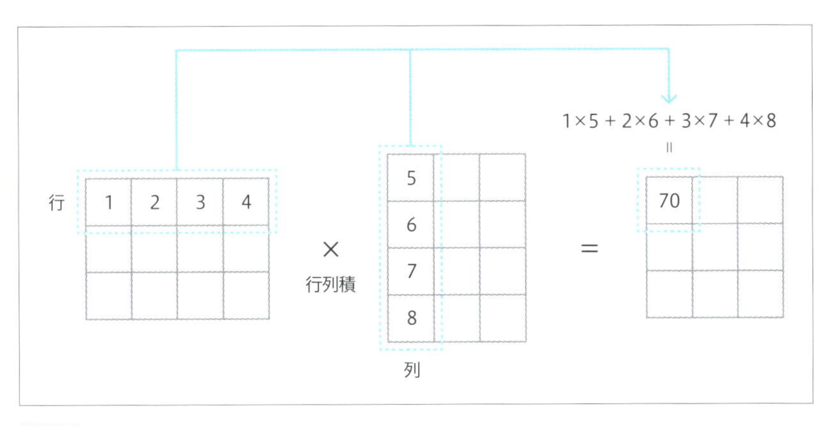

図4.3 行列積における、1行目と1列目の演算

行列積では、前の行列における行の各要素と、後の行列における列の各要素を掛け合わせて総和をとり、新しい行列の要素とします。図4.3では左の行列の1行目と右の行列の1列目を演算していますが、図4.4では左の行列の1行目と右の行列の2列目を演算しています。

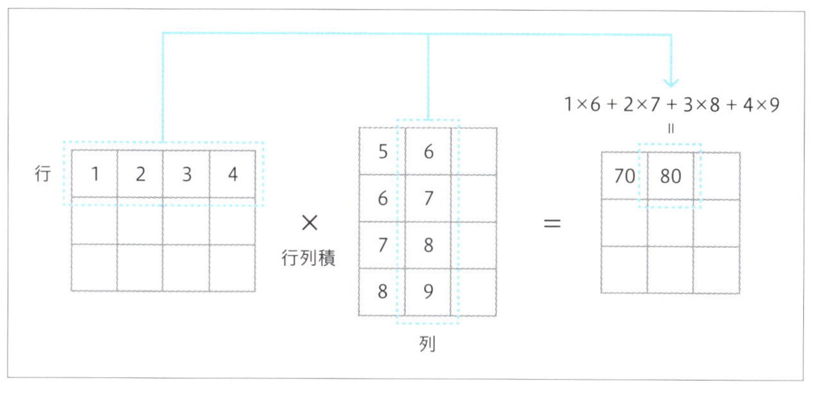

図 4.4 行列積における、1行目と2列目の演算

このようにして、左の行列のすべての行と、右の行列のすべての列の組み合わせで演算を行い、新たな行列を作ります。

それでは行列積の例を見ていきましょう。まず、行列AとBを次のように設定します。

$$A = \begin{pmatrix} a_{11} & a_{12} & a_{13} \\ a_{21} & a_{22} & a_{23} \end{pmatrix}$$

$$B = \begin{pmatrix} b_{11} & b_{12} \\ b_{21} & b_{22} \\ b_{31} & b_{32} \end{pmatrix}$$

Aは2×3の行列で、Bは3×2の行列です。そして、AとBの積を次のように表します。

$$AB = \begin{pmatrix} a_{11} & a_{12} & a_{13} \\ a_{21} & a_{22} & a_{23} \end{pmatrix} \begin{pmatrix} b_{11} & b_{12} \\ b_{21} & b_{22} \\ b_{31} & b_{32} \end{pmatrix}$$

$$= \begin{pmatrix} a_{11}b_{11} + a_{12}b_{21} + a_{13}b_{31} & a_{11}b_{12} + a_{12}b_{22} + a_{13}b_{32} \\ a_{21}b_{11} + a_{22}b_{21} + a_{23}b_{31} & a_{21}b_{12} + a_{22}b_{22} + a_{23}b_{32} \end{pmatrix}$$

$$= \begin{pmatrix} \sum_{k=1}^{3} a_{1k}b_{k1} & \sum_{k=1}^{3} a_{1k}b_{k2} \\ \sum_{k=1}^{3} a_{2k}b_{k1} & \sum_{k=1}^{3} a_{2k}b_{k2} \end{pmatrix}$$

Aの各行とBの各列の各要素を掛け合わせて総和をとり、新しい行列の各要素とします。

上記の行列積には総和の記号Σが登場していますが、行列積は積の総和を計算する際に大活躍します。人工知能では積の総和を頻繁に計算するので、行列積は欠くことができません。

4-3-2 行列積の数値計算

それでは、試しに数値計算をしてみましょう。以下の行列A、Bを考えます。

$$A = \begin{pmatrix} 0 & 1 & 2 \\ 1 & 2 & 3 \end{pmatrix}$$

$$B = \begin{pmatrix} 2 & 1 \\ 2 & 1 \\ 2 & 1 \end{pmatrix}$$

これらの行列の行列積は、以下の通りに計算できます。

$$AB = \begin{pmatrix} 0 & 1 & 2 \\ 1 & 2 & 3 \end{pmatrix} \begin{pmatrix} 2 & 1 \\ 2 & 1 \\ 2 & 1 \end{pmatrix}$$

$$= \begin{pmatrix} 0 \times 2 + 1 \times 2 + 2 \times 2 & 0 \times 1 + 1 \times 1 + 2 \times 1 \\ 1 \times 2 + 2 \times 2 + 3 \times 2 & 1 \times 1 + 2 \times 1 + 3 \times 1 \end{pmatrix}$$

$$= \begin{pmatrix} 6 & 3 \\ 12 & 6 \end{pmatrix}$$

スカラーの積と異なり、行列積においては、前の行列と後ろの行列の交換は特定の条件を満たしている場合を除きできません。

そして、行列積を計算するためには、前の行列の列数と、後ろの行列の行数が一致していなければいけません。例えば、前の行列の列数が3であれば、後ろの行列の行数は3である必要があります。

4-3-3 行列積の一般化

行列積を、より一般的な形で記述します。以下は、$l \times m$の行列Aと、$m \times n$

の行列Bの行列積です。

$$AB = \begin{pmatrix} a_{11} & a_{12} & \ldots & a_{1m} \\ a_{21} & a_{22} & \ldots & a_{2m} \\ \vdots & \vdots & \ddots & \vdots \\ a_{l1} & a_{l2} & \ldots & a_{lm} \end{pmatrix} \begin{pmatrix} b_{11} & b_{12} & \ldots & b_{1n} \\ b_{21} & b_{22} & \ldots & b_{2n} \\ \vdots & \vdots & \ddots & \vdots \\ b_{m1} & b_{m2} & \ldots & b_{mn} \end{pmatrix}$$

$$= \begin{pmatrix} \sum_{k=1}^{m} a_{1k}b_{k1} & \sum_{k=1}^{m} a_{1k}b_{k2} & \ldots & \sum_{k=1}^{m} a_{1k}b_{kn} \\ \sum_{k=1}^{m} a_{2k}b_{k1} & \sum_{k=1}^{m} a_{2k}b_{k2} & \ldots & \sum_{k=1}^{m} a_{2k}b_{kn} \\ \vdots & \vdots & \ddots & \vdots \\ \sum_{k=1}^{m} a_{lk}b_{k1} & \sum_{k=1}^{m} a_{lk}b_{k2} & \ldots & \sum_{k=1}^{m} a_{lk}b_{kn} \end{pmatrix}$$

4-3-4 行列積の実装

行列積をすべての行と列の組み合わせで計算するのは大変ですが、NumPyの**dot()**関数を用いれば簡単に行列積を計算することができます（リスト4.10）。

リスト4.10 NumPyを使って行列積を計算する

In
```
import numpy as np

a = np.array([[0, 1, 2],
              [1, 2, 3]])

b = np.array([[2, 1],
              [2, 1],
              [2, 1]])

print(np.dot(a, b))
```

Out
```
[[ 6  3]
 [12  6]]
```

4-3-5 要素ごとの積（アダマール積）

行列の要素ごとの積は、アダマール積とも呼ばれており、行列の各要素を掛け合わせます。

以下の行列A、Bを考えましょう。

$$A = \begin{pmatrix} a_{11} & a_{12} & \dots & a_{1n} \\ a_{21} & a_{22} & \dots & a_{2n} \\ \vdots & \vdots & \ddots & \vdots \\ a_{m1} & a_{m2} & \dots & a_{mn} \end{pmatrix}$$

$$B = \begin{pmatrix} b_{11} & b_{12} & \dots & b_{1n} \\ b_{21} & b_{22} & \dots & b_{2n} \\ \vdots & \vdots & \ddots & \vdots \\ b_{m1} & b_{m2} & \dots & b_{mn} \end{pmatrix}$$

これらの行列の要素ごとの積は、演算子$\circ$を用いて次のように表すことができます。

$$A \circ B = \begin{pmatrix} a_{11}b_{11} & a_{12}b_{12} & \dots & a_{1n}b_{1n} \\ a_{21}b_{21} & a_{22}b_{22} & \dots & a_{2n}b_{2n} \\ \vdots & \vdots & \ddots & \vdots \\ a_{m1}b_{m1} & a_{m2}b_{m2} & \dots & a_{mn}b_{mn} \end{pmatrix}$$

例えば次のような場合、

$$A = \begin{pmatrix} 0 & 1 & 2 \\ 3 & 4 & 5 \\ 6 & 7 & 8 \end{pmatrix}$$

$$B = \begin{pmatrix} 0 & 1 & 2 \\ 2 & 0 & 1 \\ 1 & 2 & 0 \end{pmatrix}$$

AとBの要素ごとの積は次のようになります。

$$
\begin{aligned}
A \circ B &= \begin{pmatrix} 0 \times 0 & 1 \times 1 & 2 \times 2 \\ 3 \times 2 & 4 \times 0 & 5 \times 1 \\ 6 \times 1 & 7 \times 2 & 8 \times 0 \end{pmatrix} \\
&= \begin{pmatrix} 0 & 1 & 4 \\ 6 & 0 & 5 \\ 6 & 14 & 0 \end{pmatrix}
\end{aligned}
$$

以上のように、要素ごとの積は行列積と比べてシンプルです。

4-3-6 要素ごとの積の実装

要素ごとの積は、リスト4.11のようにNumPyを用いて実装できます。
要素ごとの演算にはスカラーの積の演算子*を使います。

リスト4.11 NumPyを使って要素ごとの積を計算する

In

```
import numpy as np

a = np.array([[0, 1, 2],
              [3, 4, 5],
              [6, 7, 8]])

b = np.array([[0, 1, 2],
              [2, 0, 1],
              [1, 2, 0]])

print(a*b)
```

Out

```
[[ 0  1  4]
 [ 6  0  5]
 [ 6 14  0]]
```

要素ごとの積を計算するためには、配列の形状が同じである必要があります。
また、要素ごとの和には+、要素ごとの差には-、要素ごとの割り算には/を使います。

4.3.7 演習

問題

リスト4.12で、行列**a**と行列**b**の行列積、および行列**c**と行列**d**の要素ごとの積を求めましょう。

リスト4.12 問題

In

```
import numpy as np

a = np.array([[0, 1, 2],
              [1, 2, 3]])

b = np.array([[0, 1],
              [1, 2],
              [2, 3]])

# 行列積




c = np.array([[0, 1, 2],
              [3, 4, 5],
              [6, 7, 8]])

d = np.array([[0, 2, 0],
              [2, 0, 2],
              [0, 2, 0]])

# 要素ごとの積
```

解答例

リスト4.13 解答例

In

```
import numpy as np

a = np.array([[0, 1, 2],
              [1, 2, 3]])

b = np.array([[0, 1],
              [1, 2],
              [2, 3]])

# 行列積
print(np.dot(a, b))

print()

c = np.array([[0, 1, 2],
              [3, 4, 5],
              [6, 7, 8]])

d = np.array([[0, 2, 0],
              [2, 0, 2],
              [0, 2, 0]])

# 要素ごとの積
print(c*d)
```

Out

```
[[ 5  8]
 [ 8 14]]

[[ 0  2  0]
 [ 6  0 10]
 [ 0 14  0]]
```

4.4 転置

転置により、行列の行と列を入れ替えます。人工知能のコードでは、転置を頻繁に使います。

4-4-1 転置とは

行列に対する重要な操作に、**転置**というものがあります。行列を転置することにより、行と列が入れ替わります。以下は転置の例ですが、例えば行列Aの転置行列はA^{T}と表します。

$$A = \begin{pmatrix} 1 & 2 & 3 \\ 4 & 5 & 6 \end{pmatrix}$$

$$A^{\mathrm{T}} = \begin{pmatrix} 1 & 4 \\ 2 & 5 \\ 3 & 6 \end{pmatrix}$$

$$B = \begin{pmatrix} a & b \\ c & d \\ e & f \end{pmatrix}$$

$$B^{\mathrm{T}} = \begin{pmatrix} a & c & e \\ b & d & f \end{pmatrix}$$

4-4-2 転置の実装

NumPyにおいては、行列を表す配列名の後に`.T`を付けると転置されます（リスト4.14）。

リスト4.14 行列を転置する

In

```
import numpy as np


a = np.array([[1, 2, 3],
              [4, 5, 6]])  # 行列
```

```
print(a.T)  # 転置
```

Out

```
[[1 4]
 [2 5]
 [3 6]]
```

行列の行と列が入れ替わっているのが確認できます。

4-4-3 行列積と転置

行列積においては、基本的に前の行列の列数と、後ろの行列の行数が一致する必要があります。しかしながら、一致しなくても転置により行列積が可能になる場合があります。

図4.5 のような$l \times n$の行列Aと、$m \times n$の行列Bを考えます。$n \neq m$とします。

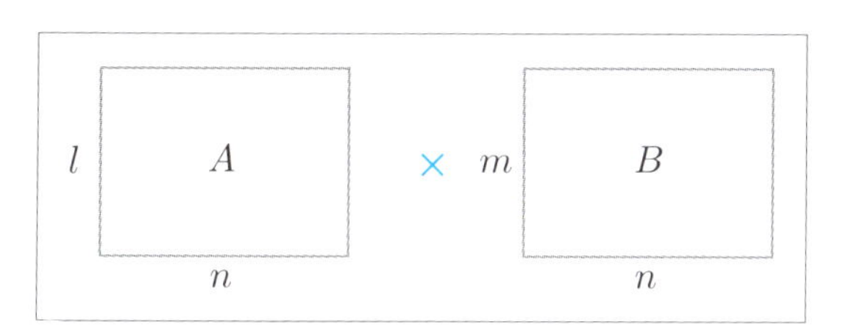

図4.5 行列積ができない例

図4.5 の場合は、行列Aの列数がnであり、行列Bの行数がmで等しくないので、行列積はできません。しかしながら、行列Bを転置することにより、図4.6 で示すように行列積が可能になります。

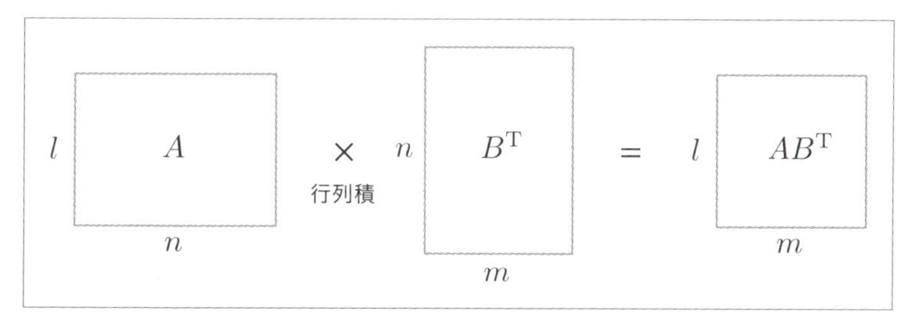

図4.6 転置により行列積が可能に

行列 A の列数と、行列 B^{T} の行数が等しくなり、行列積が計算できるようになりました。

4-4-4 転置と行列積の実装

リスト4.15は、NumPyの配列を転置し、行列積を計算している例です。配列名の後に **.T** を付けると、転置行列になります。

リスト4.15 転置した上で、行列積を行う

In
```
import numpy as np

a = np.array([[0, 1, 2],
              [1, 2, 3]])  # 2x3の行列
b = np.array([[0, 1, 2],
              [1, 2, 3]])  # 2x3の行列 このままでは行列aと➡
bで行列積ができない

# print(np.dot(a, b))  # 転置しないで行列積をとるとエラー
print(np.dot(a, b.T))  # 転置により行列積が可能に
```

Out
```
[[ 5  8]
 [ 8 14]]
```

リスト4.15のコードでは、行列 **b** を転置することで行数が3になり、行列 **a** の列数と一致するので行列積が可能になっています。

4-4-5 演習

問題

リスト4.16で行列 **a** もしくは行列 **b** を転置し、行列 **a** と行列 **b** の行列積を計算しましょう。

リスト4.16 問題

In

```
import numpy as np

a = np.array([[0, 1, 2],
              [1, 2, 3]])
b = np.array([[0, 1, 2],
              [2, 3, 4]])

# 行列積
```

解答例

リスト4.17 解答例

In

```
import numpy as np

a = np.array([[0, 1, 2],
              [1, 2, 3]])
b = np.array([[0, 1, 2],
              [2, 3, 4]])

# 行列積
print(np.dot(a, b.T))
```

Out

```
[[ 5 11]
 [ 8 20]]
```

4.5 行列式と逆行列

行列式を使うことにより、行列の**逆行列**を求めることができます。逆行列を使えば、行列の方程式を解くことなどが可能になります。

4-5-1 単位行列とは

単位行列は、例えば以下のような行列のことです。

$$\begin{pmatrix} 1 & 0 \\ 0 & 1 \end{pmatrix}$$

$$\begin{pmatrix} 1 & 0 & 0 \\ 0 & 1 & 0 \\ 0 & 0 & 1 \end{pmatrix}$$

$$\begin{pmatrix} 1 & 0 & \ldots & 0 \\ 0 & 1 & \ldots & 0 \\ \vdots & \vdots & \ddots & \vdots \\ 0 & 0 & \ldots & 1 \end{pmatrix}$$

このように、単位行列では、行と列の数が等しく、左上から右下に1が並び、その他の要素は0になります。

単位行列には行列の前後に行列積で掛けても掛けた行列を変化させない、という特徴があります。以下では2×2の単位行列をEで表しますが、2×2の行列Aの前後に単位行列Eを掛けても、行列Aは変化しません。

$$E = \begin{pmatrix} 1 & 0 \\ 0 & 1 \end{pmatrix}$$

$$\begin{aligned} A &= \begin{pmatrix} a & b \\ c & d \end{pmatrix} \\ EA &= \begin{pmatrix} 1 & 0 \\ 0 & 1 \end{pmatrix}\begin{pmatrix} a & b \\ c & d \end{pmatrix} = \begin{pmatrix} a & b \\ c & d \end{pmatrix} \\ AE &= \begin{pmatrix} a & b \\ c & d \end{pmatrix}\begin{pmatrix} 1 & 0 \\ 0 & 1 \end{pmatrix} = \begin{pmatrix} a & b \\ c & d \end{pmatrix} \end{aligned}$$

単位行列が3×3であっても、4×4であっても、前後どちらから掛けても行列を変化させないという性質は同じです。以上のように、単位行列には同じサイズの行列に掛けても、掛ける対象の行列を変化させない、という性質があります。

4-5-2 単位行列の実装

NumPyにおいては、**eye()**関数により単位行列を作成することができます。**eye()**関数に渡す引数は、単位行列のサイズを表します（リスト4.18）。

リスト4.18 **eye()**関数を使って単位行列を作る

In

```
import numpy as np

print(np.eye(2))  # 2×2の単位行列
print()
print(np.eye(3))  # 3×3の単位行列
print()
print(np.eye(4))  # 4×4の単位行列
```

Out

```
[[1. 0.]
 [0. 1.]]

[[1. 0. 0.]
 [0. 1. 0.]
 [0. 0. 1.]]

[[1. 0. 0. 0.]
 [0. 1. 0. 0.]
 [0. 0. 1. 0.]
 [0. 0. 0. 1.]]
```

左上から右下に1が並び、残りの要素はすべて0になっていることが確認できます。

4-5-3 逆行列とは

以下に例で示すように、ある数値とその逆数を掛けると1になります。

$$3 \times \frac{1}{3} = 1$$

$$21 \times \frac{1}{21} = 1$$

スカラーと同じように、行列にも掛けると単位行列になる行列が存在することがあります。

このような行列を、**逆行列**といいます。

行列Aの逆行列をA^{-1}と表すと、AとA^{-1}の関係を以下のように表すことができます。

$$A^{-1}A = AA^{-1} = E$$

この場合、Aは行と列の数が等しい**正方行列**である必要があります。

例えば以下の2つの行列CとDは、どの順番で行列積を計算しても単位行列になるのでお互いに逆行列の関係になります。

$$C = \begin{pmatrix} 1 & 1 \\ 1 & 2 \end{pmatrix} \quad D = \begin{pmatrix} 2 & -1 \\ -1 & 1 \end{pmatrix}$$

$$CD = DC = \begin{pmatrix} 1 & 0 \\ 0 & 1 \end{pmatrix}$$

4-5-4 行列式とは

行列によっては、逆行列が存在しない場合があります。逆行列が存在するかどうかは、**行列式**により判定することができます。

以下の行列Aを考えます。

$$A = \begin{pmatrix} a & b \\ c & d \end{pmatrix}$$

行列式は$|A|$もしくは$\det A$と表されますが、以下の式で表されます。

$$|A| = \det A = ad - bc$$

この行列式が0である場合、逆行列は存在しません。例えば以下の行列は

$1 \times 4 - 2 \times 3 = -2$なので逆行列が存在します。

$$A = \begin{pmatrix} 1 & 2 \\ 3 & 4 \end{pmatrix}$$

一方、以下の行列は$1 \times 0 - 2 \times 0 = 0$なので逆行列が存在しません。

$$A = \begin{pmatrix} 1 & 2 \\ 0 & 0 \end{pmatrix}$$

逆行列が存在する場合、以下の公式により逆行列を求めることができます。

$$A^{-1} = \frac{1}{ad - bc} \begin{pmatrix} d & -b \\ -c & a \end{pmatrix}$$

4-5-5 行列式の実装

NumPyの**linalg.det()**関数により、行列式を求めることができます（リスト4.19）。

リスト4.19 **linalg.det()**関数を使って行列式を求める

In

```
import numpy as np

a = np.array([[1, 2],
              [3, 4]])
print(np.linalg.det(a))  # 行列式が0にならない場合

b = np.array([[1, 2],
              [0, 0]])
print(np.linalg.det(b))  # 行列式が0になる場合
```

Out

```
-2.0000000000000004
0.0
```

4-5-6 逆行列の実装

逆行列が存在する場合、NumPyの**linalg.inv()**関数により逆行列を求めることができます（リスト4.20）。

リスト4.20 **linalg.inv()**関数を使って逆行列を求める

In
```
import numpy as np

a = np.array([[1, 2],
              [3, 4]])
print(np.linalg.inv(a))  # 逆行列

b = np.array([[1, 2],
              [0, 0]])
# print(np.linalg.inv(b))  # 逆行列が存在しないのでエラーが起きる
```

Out
```
[[-2.   1. ]
 [ 1.5 -0.5]]
```

より行数、列数の多い正方行列に対して逆行列を手計算する場合は、掃き出し法、余因子法などを用いますが、少々複雑になります。しかしながら、このような場合でもNumPyの**linalg.inv()**関数を使えば簡単に逆行列を求めることができます。

逆行列は、人工知能において変数同士の相関関係を調べる回帰分析に使われます。

4-5-7 演習

問題

リスト4.21で行列**a**の行列式を求め、逆行列が存在する場合は逆行列を求めましょう。

リスト4.21 問題

In

```
import numpy as np

a = np.array([[1, 1],
              [1, 2]])

# 行列式



# 逆行列
```

解答例

リスト4.22 解答例

In

```
import numpy as np

a = np.array([[1, 1],
              [1, 2]])

# 行列式
print(np.linalg.det(a))

print()

# 逆行列
print(np.linalg.inv(a))
```

Out

```
1.0

[[ 2. -1.]
 [-1.  1.]]
```

4.6 線形変換

線形変換により、ベクトルを変換します。人工知能においては、ニューラルネットワークで情報を伝播させるのに線形変換を使います。

4.6.1 ベクトルの描画

以下の縦ベクトルを矢印で描画します。

$$\vec{a} = \begin{pmatrix} 2 \\ 3 \end{pmatrix}$$

矢印の描画には、matplotlib.pyplotの**quiver()**関数を使います。**quiver()**関数は 構文4.1 のように設定します。

構文4.1

```
quiver(始点のx座標, 始点のy座標, 矢印のx成分, 矢印のy成分,
         angles=矢印の角度の決定方法, scale_units=スケールの単位, ➡
scale=スケール, color=矢印の色)
```

矢印のx成分とy成分でベクトルを表現します（リスト4.23）。**angles**、**scale_units**、**scale**は今回気にしなくてかまいません。

リスト4.23 ベクトルを矢印で描画する

In
```
%matplotlib inline

import numpy as np
import matplotlib.pyplot as plt

# 矢印を描画する関数
def arrow(start, size, color):
    plt.quiver(start[0], start[1], size[0], size[1], ➡
angles="xy", scale_units="xy", scale=1, color=color)
```

```
# 矢印の始点
s = np.array([0, 0])  # 原点

# ベクトル
a = np.array([2, 3])  # 縦ベクトルを表す

arrow(s, a, color="black")

# グラフ表示
plt.xlim([-3,3])  # xの表示範囲
plt.ylim([-3,3])  # yの表示範囲
plt.xlabel("x", size=14)
plt.ylabel("y", size=14)
plt.grid()
plt.gca().set_aspect("equal")  # 縦横比を同じに
plt.show()
```

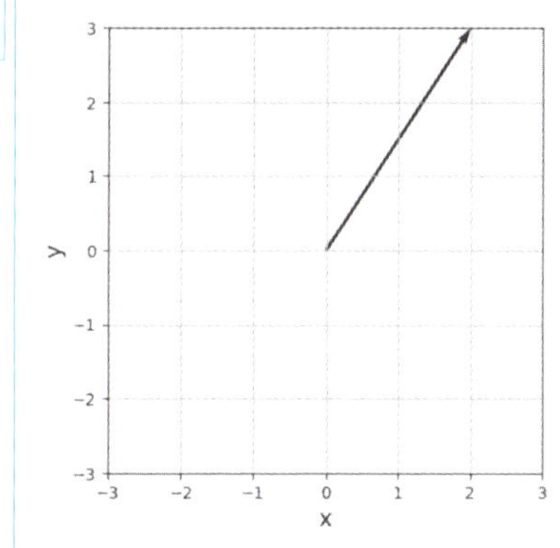

ベクトルを、原点を始点とした矢印で描画することができました。

4-6-2 線形変換

以下の行列Aを考えます。

$$A = \begin{pmatrix} 2 & -1 \\ 2 & -2 \end{pmatrix}$$

以下のようにして、この行列Aを縦ベクトル$\vec{a}$に掛けることで、ベクトルを変換することができます。

$$\vec{b} = A\vec{a} = \begin{pmatrix} 2 & -1 \\ 2 & -2 \end{pmatrix}\begin{pmatrix} 2 \\ 3 \end{pmatrix} = \begin{pmatrix} 1 \\ -2 \end{pmatrix}$$

以上のように、行列Aによってベクトル$\vec{a}$はベクトル$\vec{b}$に変換されました。

このようなベクトルからベクトルへの変換を**線形変換**といいます。

変換前のベクトル$\vec{a}$、変換後のベクトル$\vec{b}$を矢印で描画すると リスト4.24 のようになります。

リスト4.24 ベクトルの線形変換を行う

In

```
import numpy as np
import matplotlib.pyplot as plt

a = np.array([2, 3])  # 変換前のベクトル

A = np.array([[2, -1],
              [2, -2]])

b = np.dot(A, a)  # 線形変換

print("変換前のベクトル (a) :", a)
print("変換後のベクトル (b) :", b)

def arrow(start, size, color):
    plt.quiver(start[0], start[1], size[0], size[1], ➡
angles="xy", scale_units="xy", scale=1, color=color)

s = np.array([0, 0])  # 原点
```

```
arrow(s, a, color="black")
arrow(s, b, color="blue")

# グラフ表示
plt.xlim([-3,3])  # xの表示範囲
plt.ylim([-3,3])  # yの表示範囲
plt.xlabel("x", size=14)
plt.ylabel("y", size=14)
plt.grid()
plt.gca().set_aspect("equal")  # 縦横比を同じに
plt.show()
```

Out

```
変換前のベクトル(a): [2 3]
変換後のベクトル(b): [ 1 -2]
```

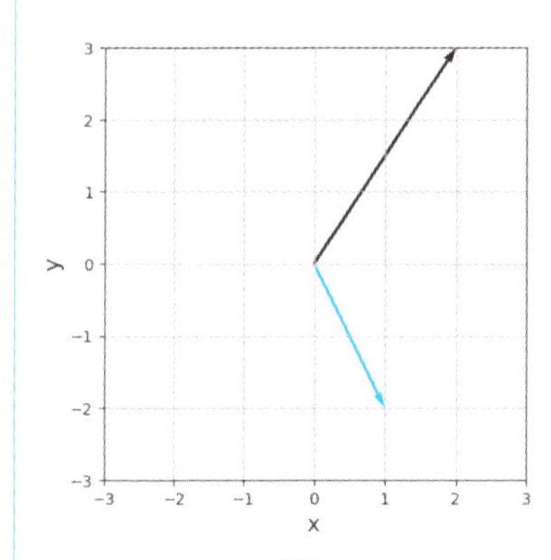

行列Aにより、黒い矢印で示されるベクトル$\vec{a}$が、青い矢印で示されるベクトル$\vec{b}$に変換されました。

4.6.3 標準基底

以下のベクトル$\vec{e_x}$と$\vec{e_y}$は、**標準基底**と呼ばれます。

$$\vec{e_x} = \begin{pmatrix} 1 \\ 0 \end{pmatrix}$$

$$\vec{e_y} = \begin{pmatrix} 0 \\ 1 \end{pmatrix}$$

このとき、ベクトル$\vec{a}$は次のように表すことができます。

$$\vec{a} = \begin{pmatrix} 2 \\ 3 \end{pmatrix} = 2\begin{pmatrix} 1 \\ 0 \end{pmatrix} + 3\begin{pmatrix} 0 \\ 1 \end{pmatrix} = 2\vec{e_x} + 3\vec{e_y}$$

以上のように、ベクトルは標準基底と定数の積の和として表現することができます。

リスト4.25では標準基底を描画します。

リスト4.25 ベクトルと標準基底を描画する

In

```
import numpy as np
import matplotlib.pyplot as plt

a = np.array([2, 3])
e_x = np.array([1, 0])  # 標準基底
e_y = np.array([0, 1])  # 標準基底

print("a:", a)
print("e_x:", e_x)
print("e_y:", e_y)

def arrow(start, size, color):
    plt.quiver(start[0], start[1], size[0], size[1], ➡
angles="xy", scale_units="xy", scale=1, color=color)

s = np.array([0, 0])  # 原点

arrow(s, a, color="blue")
arrow(s, e_x, color="black")
```

```
arrow(s, e_y, color="black")

# グラフ表示
plt.xlim([-3,3])  # xの表示範囲
plt.ylim([-3,3])  # yの表示範囲
plt.xlabel("x", size=14)
plt.ylabel("y", size=14)
plt.grid()
plt.gca().set_aspect("equal")  # 縦横比を同じに
plt.show()
```

Out

```
a: [2 3]
e_x: [1 0]
e_y: [0 1]
```

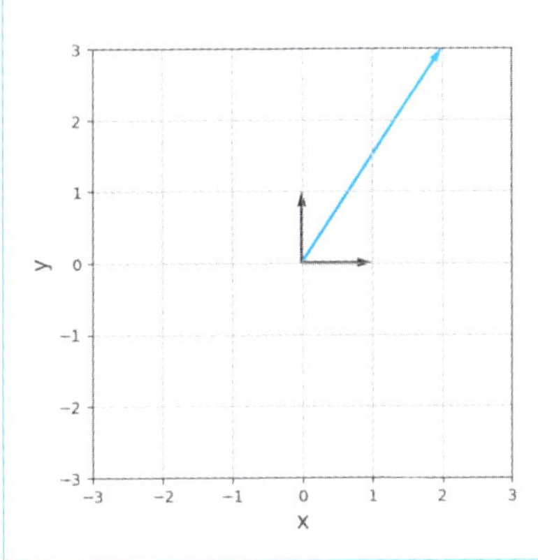

青い矢印のベクトルは、黒い矢印の標準基底に定数を掛けて足し合わせることにより表されます。

標準基底を用いて、ベクトルの一般的な表現をします。

m個の要素を持つベクトル$\vec{a}$は、標準基底を用いて次のように表されます。

$$\vec{a} = \sum_{j=1}^{m} r_j \vec{e_j}$$

r_jが定数で、$\vec{e_j}$が各要素に対応する標準基底です。

このベクトルに、次の$n \times m$の行列Aを使って線形変換を行います。

$$A = \begin{pmatrix} a_{11} & a_{12} & \dots & a_{1m} \\ a_{21} & a_{22} & \dots & a_{2m} \\ \vdots & \vdots & \ddots & \vdots \\ a_{n1} & a_{n2} & \dots & a_{nm} \end{pmatrix}$$

$$\vec{b} = A\vec{a}$$

この結果得られた$\vec{b}$は、標準基底を使って次のように表すことができます。

$$\vec{b} = \sum_{k=1}^{n} s_k \vec{e_k}$$

$$s_k = \sum_{j=1}^{m} r_j a_{kj}$$

s_kは$\vec{b}$の各標準基底に掛ける定数となります。

このように、$\vec{b}$の各要素は積の総和の形で表されます。この線形変換の性質を用いて、ニューラルネットワークでは擬似的な神経細胞に対する複数の入力に重みを掛けた総和を計算します。

なお、$n = m$であれば行列Aは正方行列になりますが、Aが正方行列でなければ、線形変換によりベクトルの要素数が変化することになります。

例えば、以下の例では線形変換によりベクトルの要素数が2から3に変化します。

$$\begin{pmatrix} 2 & -1 \\ 2 & -2 \\ -1 & 2 \end{pmatrix} \begin{pmatrix} 2 \\ 3 \end{pmatrix} = \begin{pmatrix} 1 \\ -2 \\ 4 \end{pmatrix}$$

4-6-4 演習

問題

リスト4.26のセルを補完し、ベクトル$\vec{a}$を行列Aで線形変換しましょう。そして、ベクトル$\vec{a}$と変換後のベクトル$\vec{b}$を矢印でグラフ上に表示しましょう。

リスト4.26 問題

In

```
import numpy as np
import matplotlib.pyplot as plt

a = np.array([1, 3])  # 変換前のベクトル

A = np.array([[1, -1],
              [2, -1]])

b =        # 線形変換

print("a:", a)
print("b:", b)

def arrow(start, size, color):
    plt.quiver(start[0], start[1], size[0], size[1], ➡
angles="xy", scale_units="xy", scale=1, color=color)

s = np.array([0, 0])  # 原点

arrow(s, a, color="black")
arrow(s, b, color="blue")

# グラフ表示
plt.xlim([-3,3])  # xの表示範囲
plt.ylim([-3,3])  # yの表示範囲
plt.xlabel("x", size=14)
plt.ylabel("y", size=14)
plt.grid()
plt.gca().set_aspect("equal")  # 縦横比を同じに
plt.show()
```

解答例

リスト4.27 解答例

In

```
import numpy as np
import matplotlib.pyplot as plt

a = np.array([1, 3])  # 変換前のベクトル
A = np.array([[1, -1],
              [2, -1]])
b = np.dot(A, a)  # 線形変換

print("a:", a)
print("b:", b)

def arrow(start, size, color):
    plt.quiver(start[0], start[1], size[0], size[1], ➡
angles="xy", scale_units="xy", scale=1, color=color)

s = np.array([0, 0])  # 原点

arrow(s, a, color="black")
arrow(s, b, color="blue")

# グラフ表示
plt.xlim([-3,3])  # xの表示範囲
plt.ylim([-3,3])  # yの表示範囲
plt.xlabel("x", size=14)
plt.ylabel("y", size=14)
plt.grid()
plt.gca().set_aspect("equal")  # 縦横比を同じに
plt.show()
```

Out

```
a: [1 3]
b: [-2 -1]
```

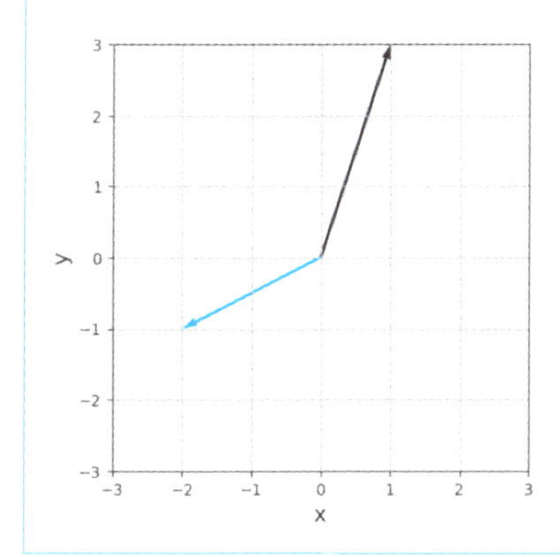

4.7 固有値と固有ベクトル

固有値、固有ベクトルは行列を扱う際に頻繁に登場する重要な概念です。人工知能では、データを要約する主成分分析という手法で用いられます。

4-7-1 固有値、固有ベクトルとは

正方行列（行数と列数が等しい行列）Aを考えます。

この行列Aに対して、以下の関係を満たすスカラーλを行列Aの**固有値**、ベクトル$\vec{x}$を行列Aの**固有ベクトル**といいます。

$$A\vec{x} = \lambda\vec{x} \qquad \text{(式 1)}$$

この式からわかる通り、固有ベクトルは線形変換により各要素が固有値倍になるベクトルです。

ここで、例えば以下のような単位行列Eを考えます。

$$E = \begin{pmatrix} 1 & 0 \\ 0 & 1 \end{pmatrix}$$

単位行列を掛けてもベクトルは変化しないので、（式 1）は次のように表すこと

ができます。

$$A\vec{x} = \lambda E\vec{x}$$

この式の右辺を左辺に移項すると、次の式を得ることができます。

$$(A - \lambda E)\vec{x} = \vec{0} \quad \text{(式 2)}$$

右辺が$\vec{0}$になりますが、これは要素がすべて0のベクトルを表します。

ここで、行列$(A - \lambda E)$が逆行列を持つとすると、（式 2）の両辺に左から逆行列$(A - \lambda E)^{-1}$を掛けて、

$$\begin{aligned} \vec{x} &= (A - \lambda E)^{-1}\vec{0} \\ &= \vec{0} \end{aligned}$$

となり、$\vec{x}$は$\vec{0}$に等しくなってしまいます。

この解は特に興味深くないので、行列$(A - \lambda E)$が逆行列を持たない場合を考えます。

このとき、以下の関係が満たされます。

$$\det(A - \lambda E) = 0 \quad \text{(式 3)}$$

これを行列Aの**固有方程式**といいます。

4-7-2 固有値、固有ベクトルを求める

以下の行列Aの固有値を計算します。

$$A = \begin{pmatrix} 3 & 1 \\ 2 & 4 \end{pmatrix}$$

（式 3）を使って、行列Aの固有値を次のように求めることができます。

$$\det(A - \lambda E) = 0$$

$$\det\left(\begin{pmatrix} 3 & 1 \\ 2 & 4 \end{pmatrix} - \lambda\begin{pmatrix} 1 & 0 \\ 0 & 1 \end{pmatrix}\right) = 0$$

$$\det\begin{pmatrix} 3-\lambda & 1 \\ 2 & 4-\lambda \end{pmatrix} = 0$$

$$(3-\lambda)(4-\lambda) - 1 \times 2 = 0$$

$$\lambda^2 - 7\lambda + 10 = 0$$

$$(\lambda - 2)(\lambda - 5) = 0$$

このとき、固有値λの値は2もしくは5になります。

次に、固有ベクトルを求めます。

以下では、$\lambda = 2$の場合と$\lambda = 5$の場合、2通りを考えます。

$\lambda = 2$の場合、$\vec{x}$を次のようにおくと、

$$\vec{x} = \begin{pmatrix} p \\ q \end{pmatrix}$$

固有ベクトルは（式 2）により次のように求めることができます。

$$(A - 2E)\begin{pmatrix} p \\ q \end{pmatrix} = \vec{0}$$

$$\begin{pmatrix} 3-2 & 1 \\ 2 & 4-2 \end{pmatrix}\begin{pmatrix} p \\ q \end{pmatrix} = \vec{0}$$

$$\begin{pmatrix} 1 & 1 \\ 2 & 2 \end{pmatrix}\begin{pmatrix} p \\ q \end{pmatrix} = \vec{0}$$

$$\begin{pmatrix} p + q \\ 2p + 2q \end{pmatrix} = \vec{0}$$

このとき、$p + q = 0$となります。

この条件を満たす次のようなベクトルが、$\lambda = 2$の場合のAの固有ベクトルになります。tは任意の実数です。

$$\vec{x} = \begin{pmatrix} t \\ -t \end{pmatrix}$$

$\lambda = 5$の場合、同様にして$2p - q = 0$となることを確認することができます。

この条件を満たす次のようなベクトルが、$\lambda = 5$の場合のAの固有ベクトルになります。tは任意の実数です。

$$\vec{x} = \begin{pmatrix} t \\ 2t \end{pmatrix}$$

4-7-3 固有値と固有ベクトルの計算

NumPyの**linalg.eig()**関数により、固有値と固有ベクトルを同時に求めることができます（リスト4.28）。

リスト4.28 **linalg.eig()**関数を使って、固有値と固有ベクトルを求める

In

```
import numpy as np

a = np.array([[3, 1],
              [2, 4]])

ev = np.linalg.eig(a)  # 固有値と固有ベクトルを同時に求める

print(ev[0])  # 最初の要素は固有値

print()

print(ev[1])  # 次の要素は固有ベクトル
```

Out

```
[2. 5.]

[[-0.70710678 -0.4472136 ]
 [ 0.70710678 -0.89442719]]
```

linalg.eig()関数の結果は2つの配列で、最初の配列が固有値を含み、次の配列が固有ベクトルを含みます。リスト4.28では、2と5、2つの固有値を求めることができました。

固有ベクトルは行列として得られました。この行列の各「列」が固有ベクトルを表します。この場合、各固有ベクトルはL^2ノルムが1となっています。このようなL^2ノルムが1のベクトルを、**単位ベクトル**といいます。NumPyの**linalg.eig()**関数は、固有ベクトルを単位ベクトルの形で返します。

4-7-4 演習

リスト4.29で、行列**a**の固有値と固有ベクトルを求めましょう。

リスト4.29 問題

In

```
import numpy as np

a = np.array([[-2, 4],
              [-1, 3]])

ev =

print(ev[0])  # 固有値

print()

print(ev[1])  # 固有ベクトル
```

解答例

リスト4.30 解答例

In

```
import numpy as np

a = np.array([[-2, 4],
              [-1, 3]])

ev = np.linalg.eig(a)

print(ev[0])  # 固有値

print()

print(ev[1])  # 固有ベクトル
```

Out

```
[-1.  2.]

[[-0.9701425  -0.70710678]
 [-0.24253563 -0.70710678]]
```

4.8 コサイン類似度

コサイン類似度は、ベクトル同士の向きの近さを表します。

4-8-1 ノルムと三角関数で内積を表す

以下のように、要素数が2のベクトル（2次元ベクトル）を2つ考えます。

$$\vec{a} = (a_1, a_2)$$

$$\vec{b} = (b_1, b_2)$$

これらのベクトルの間の角度を、図4.7のようにθで表します。

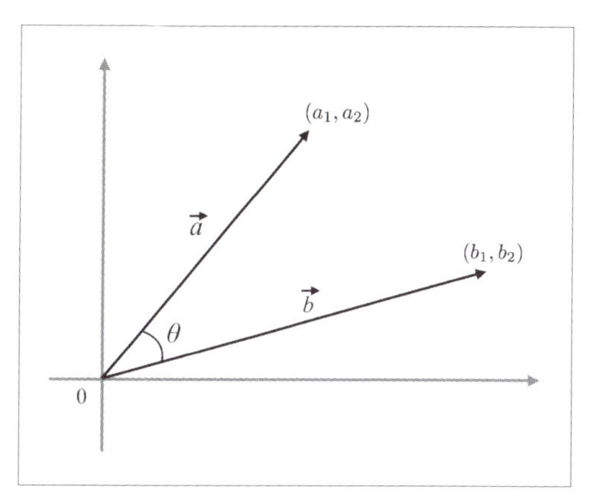

図4.7 2つのベクトルがなす角度

以前の節では内積を以下のように各要素の積の総和として定義しました。

$$\vec{a} \cdot \vec{b} = a_1 b_1 + a_2 b_2$$

上記の内積ですが、実は以下のように三角関数とL^2ノルムを使って求めることも可能です。

$$\vec{a} \cdot \vec{b} = ||\vec{a}||_2 ||\vec{b}||_2 \cos\theta = \sqrt{a_1^2 + a_2^2}\sqrt{b_1^2 + b_2^2}\cos\theta$$

ATTENTION

余弦定理

上記は余弦定理という定理を使って証明されます。

この関係を使って、$\cos\theta$の値を以下のように求めることができます。

$$\cos\theta = \frac{a_1 b_1 + a_2 b_2}{\sqrt{a_1^2 + a_2^2}\sqrt{b_1^2 + b_2^2}}$$

$\cos\theta$の値は、ベクトル間の角度θが0のときに最大値をとり、この角度が大きくなると小さくなります。従って、この$\cos\theta$の値は「2つのベクトルの向きがどれだけ揃っているか」を表すことになります。

ここまでは2次元のベクトルを扱ってきましたが、これを以下のようにn次元のベクトルに拡張することができます。

$$\cos\theta = \frac{\sum_{k=1}^{n} a_k b_k}{\sqrt{\sum_{k=1}^{n} a_k^2}\sqrt{\sum_{k=1}^{n} b_k^2}} = \frac{\vec{a}\cdot\vec{b}}{||\vec{a}||_2||\vec{b}||_2}$$

2次元のベクトルの場合は2つのベクトルがなす角度をイメージできましたが、n次元のベクトル同士がなす角度は何を意味するのでしょうか？

これを図形でイメージすることは難しいですが、2次元ベクトルの場合と同様に、ベクトルの向きがどれだけ揃っているかの指標と考えることができます。

上記の$\cos\theta$は、**コサイン類似度**と呼ばれ、2つのベクトルの向きがどれだけ揃っているかを表す指標として人工知能でよく使われます。

人工知能で日本語や英語などの自然言語を扱う場合、単語をしばしばベクトルで表します。コサイン類似度は、このような単語同士の関係性を表すのに利用されます。

4-8-2 コサイン類似度を計算する

内積とノルムを使って、コサイン類似度を計算します。内積の計算にはNumPyの**dot()**関数、ノルムの計算には**linalg.norm()**関数を使います（リスト4.31）。

リスト4.31 コサイン類似度を計算する

In

```
import numpy as np

def cos_sim(vec_1, vec_2):
    return np.dot(vec_1, vec_2) / (np.linalg.norm➡
(vec_1) * np.linalg.norm(vec_2))

a = np.array([2, 2, 2, 2])
```

```
b = np.array([1, 1, 1, 1])  # aと同じ向き
c = np.array([-1, -1, -1, -1])  # aと反対向き

print("--- aとbのコサイン類似度 ----")
print(cos_sim(a, b))

print("--- aとcのコサイン類似度 ----")
print(cos_sim(a, c))
```

Out

```
--- aとbのコサイン類似度 ----
1.0
--- aとcのコサイン類似度 ----
-1.0
```

ベクトルが同じ向きの場合、コサイン類似度は最大値の1となり、ベクトルが反対向きの場合はコサイン類似度は最小値の-1となりました。2つのベクトルの向きが、どれだけ揃っているかの指標になっていますね。

4.8.3 演習

問題

リスト4.32を補完し、ベクトル$\vec{a}$とベクトル$\vec{b}$のコサイン類似度を計算しましょう。

リスト4.32 問題

In

```
import numpy as np

def cos_sim(vec_1, vec_2):
    return    # ここにコードを補完する

a = np.array([2, 0, 1, 0])
b = np.array([0, 1, 0, 2])
```

```
print("--- aとbのコサイン類似度 ----")
print(cos_sim(a, b))
```

解答例

リスト4.33 解答例

In

```
import numpy as np

def cos_sim(vec_1, vec_2):
    return np.dot(vec_1, vec_2) / (np.linalg.norm(➡
vec_1) * np.linalg.norm(vec_2))  # ここにコードを補完する

a = np.array([2, 0, 1, 0])
b = np.array([0, 1, 0, 2])

print("--- aとbのコサイン類似度 ----")
print(cos_sim(a, b))
```

Out

```
--- aとbのコサイン類似度 ----
0.0
```

第5章 微分

本章では、常微分・偏微分・連鎖律などの、様々な人工知能に必要な微分関連の知識を学びます。

微分とは、一言でいうと変化の割合のことです。例えば、動く物体の位置を時間で微分するとその物体の速度になります。

人工知能においては、多変数関数や合成関数などの、少々込み入った関数を微分する必要があります。難しく感じるかもしれませんが、本章ではこれらを一歩一歩丁寧に解説していきます。

様々な人工知能技術の背景となる理論には微分が不可欠なのですが、本章では微分の基本からはじめて、多変数からなる関数の微分や、複数の関数からなる合成関数の微分などを解説します。

複雑な関数の微分を学ぶことで、あるパラメータが全体に及ぼす影響を予測することができるようになります。

本章における微分の解説は学問としての数学における厳密さに欠ける箇所があります。しかしながら、人工知能の学習においては微分に対する想像力を育むことが大事ですので、厳密な理解よりもイメージの把握を重視して進めていきましょう。

5.1 極限と微分

極限の概念、およびそれをベースにした微分の概念を理解しましょう。微分とは、ある関数上の各点における変化の割合のことで、人工知能では頻繁に使います。

5-1-1 極限とは

極限とは、関数における変数の値をある値に近づけるとき、関数の値がある値に限りなく近づくことです。

例として、関数$y = x^2 + 1$において、xを徐々に小さくして0に近づけるケースを考えます。

$x = 2$のとき、$y = 5$
$x = 1$のとき、$y = 2$
$x = 0.5$のとき、$y = 1.25$
$x = 0.1$のとき、$y = 1.01$
$x = 0.01$のとき、$y = 1.0001$

このように、xを0に近づけるとyは1に近づいていきます。
これは、次のように式で表すことができます。

$$\lim_{x \to 0} y = \lim_{x \to 0} (x^2 + 1) = 1$$

この式は、「xを限りなく0に近づけたとき、yが限りなく1に近づく」ということを意味します。

5-1-2 微分とは

関数$y = f(x)$において、xの微小な変化量をΔxとすると、xをΔxだけ変化させた際のyの値は次のようになります。

$$y = f(x + \Delta x)$$

このとき、yの微小な変化量は次の通りです。

$$\Delta y = f(x + \Delta x) - f(x)$$

従って、yの微小な変化Δyとxの微小な変化Δxの割合は、次の式で表されます。

$$\frac{\Delta y}{\Delta x} = \frac{f(x + \Delta x) - f(x)}{\Delta x}$$

この式で、Δxの値を0に限りなく近づける極限を考えます。

この極限は、新たな関数$f'(x)$として表すことができます。

$$f'(x) = \lim_{\Delta x \to 0} \frac{f(x + \Delta x) - f(x)}{\Delta x}$$

この関数$f'(x)$を、$f(x)$の**導関数**といいます。

そして、関数$f(x)$から導関数$f'(x)$を得ることを、関数$f(x)$を**微分**する、といいます。

導関数は以下のように表記することもあります。

$$f'(x) = \frac{df(x)}{dx} = \frac{d}{dx}f(x)$$

この場合は関数の変数がxのみなのですが、このような1変数関数に対する微分を**常微分**といいます。

本書では、xに対するyの変化の割合のことを**勾配**と呼びますが、導関数により、1変数関数上のある点における勾配を求めることができます。

関数$f(x)$上のある点、$(a, f(a))$における勾配は、$f'(a)$となります。

この関係を 図5.1 に示します。

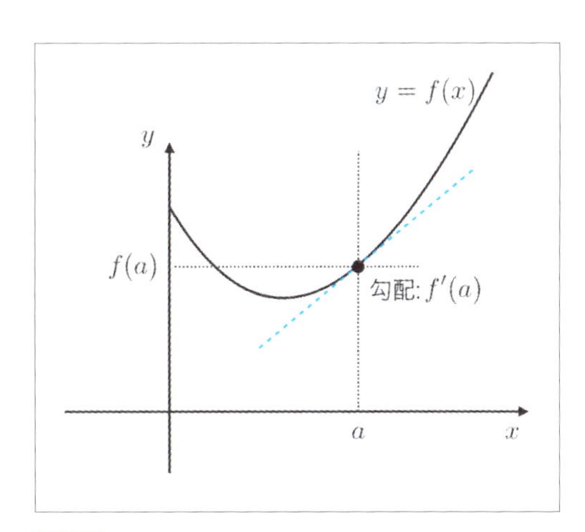

図5.1 導関数と接線、勾配

図5.1において、傾いた破線は曲線上の点$(a, f(a))$における接線です。この接線の、xに対するyの変化の割合、すなわち勾配は$f'(a)$であり、曲線上のこの点における局所的な勾配に等しくなります。

なお、この接線の式は、以下の通りになります。

$$y = f'(a)x + f(a) - f'(a)a$$

xにaを代入すると、yが$f(a)$に等しくなることが確認できるかと思います。

5-1-3 微分の公式

いくつかの関数は、微分の公式を用いることで簡単に導関数を求めることができます。

以下に、微分の公式をいくつか紹介します。各公式の証明はここでは行いませんので、興味のある方は各自調べましょう。

rを任意の実数として$f(x) = x^r$としたとき、以下が成り立ちます。

$$\frac{d}{dx}f(x) = \frac{d}{dx}x^r = rx^{r-1} \qquad \text{(公式 1)}$$

また、関数の和$f(x) + g(x)$を微分する際は、それぞれを微分して足し合わせます。

$$\frac{d}{dx}(f(x) + g(x)) = \frac{d}{dx}f(x) + \frac{d}{dx}g(x) \qquad \text{(公式 2)}$$

関数の積$f(x)g(x)$は、次のように微分することができます。

$$\frac{d}{dx}(f(x)g(x)) = f(x)\frac{d}{dx}g(x) + g(x)\frac{d}{dx}f(x) \qquad \text{(公式 3)}$$

定数は、微分の外に出ることができます。kを任意の実数としたとき、以下の公式が成り立ちます。

$$\frac{d}{dx}kf(x) = k\frac{d}{dx}f(x) \qquad \text{(公式 4)}$$

それでは、例として以下の関数を微分してみましょう。

$$f(x) = 3x^2 + 4x - 5$$

この関数は、（公式 1）（公式 2）（公式 4）を組み合わせて次のように微分することができます。

$$\begin{aligned} f'(x) &= \frac{d}{dx}(3x^2) + \frac{d}{dx}(4x^1) - \frac{d}{dx}(5x^0) \\ &= 3\frac{d}{dx}(x^2) + 4\frac{d}{dx}(x^1) - 5\frac{d}{dx}(x^0) \\ &= 6x + 4 \end{aligned}$$

以上のように、公式を組み合わせることで様々な関数の導関数を求めることができます。

5-1-4 接線の描画

導関数を使って、関数$f(x) = 3x^2 + 4x - 5$の、$x = 1$における接線を描画します（リスト5.1）。

リスト5.1 関数$f(x) = 3x^2 + 4x - 5$の$x = 1$における接線

In

```
%matplotlib inline

import numpy as np
import matplotlib.pyplot as plt

def my_func(x):
    return 3*x**2 + 4*x - 5

def my_func_dif(x):  # 導関数
    return 6*x + 4

x = np.linspace(-3, 3)
y = my_func(x)

a = 1
```

```
y_t = my_func_dif(a)*x + my_func(a) - my_func_dif(a)*a ➡
 # x=1のときの接線。接線の式を使用

plt.plot(x, y, label="y")
plt.plot(x, y_t, label="y_t")
plt.legend()

plt.xlabel("x", size=14)
plt.ylabel("y", size=14)
plt.grid()

plt.show()
```

Out

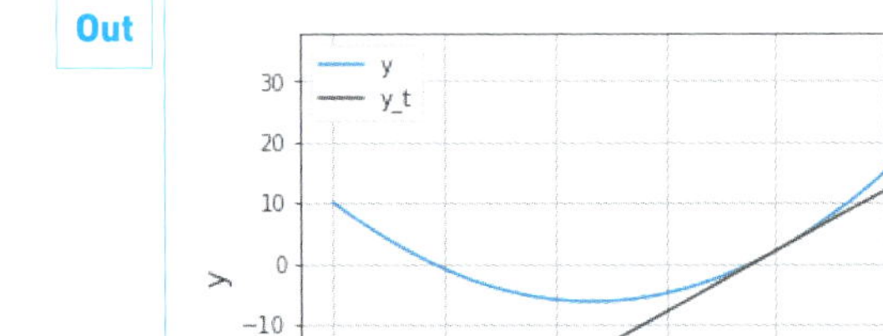

導関数を使って、接線が描画できました。人工知能においては、このような局所的な勾配を使って各パラメータが全体の結果に及ぼす影響を計算します。

5.1.5 演習

問題

リスト5.2を補完し、関数$f(x) = -2x^2 + x + 3$の$x = 1$における接線を描画しましょう。

リスト5.2 問題

In

```
import numpy as np
import matplotlib.pyplot as plt

def my_func(x):
    return -2*x**2 + x + 3

def my_func_dif(x):  # 導関数
    return    # この行にコードを補完する

x = np.linspace(-3, 3)
y = my_func(x)

a = 1
y_t = my_func_dif(a)*x + my_func(a) - my_func_dif(a)*a ➡
 # x=1のときの接線

plt.plot(x, y, label="y")
plt.plot(x, y_t, label="y_t")

plt.xlabel("x", size=14)
plt.ylabel("y", size=14)
plt.grid()

plt.legend()
plt.show()
```

解答例

リスト5.3 解答例

In

```
import numpy as np
import matplotlib.pyplot as plt
```

```
def my_func(x):
    return -2*x**2 + x + 3

def my_func_dif(x):  # 導関数
    return -4*x + 1  # この行にコードを補完する

x = np.linspace(-3, 3)
y = my_func(x)

a = 1
y_t = my_func_dif(a)*x + my_func(a) - my_func_dif(a)*a ➡
 # x=1のときの接線

plt.plot(x, y, label="y")
plt.plot(x, y_t, label="y_t")

plt.xlabel("x", size=14)
plt.ylabel("y", size=14)
plt.grid()

plt.legend()
plt.show()
```

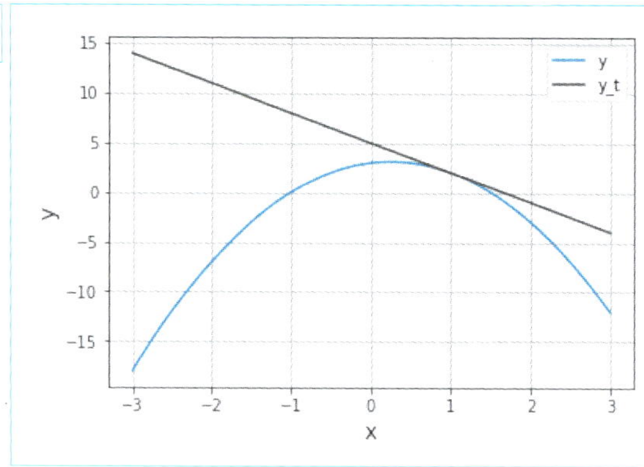

5.2 連鎖律

連鎖律（chain rule）により、合成関数の微分が可能になります。連鎖律は、人工知能の一種であるニューラルネットワークの学習に使用します。

5-2-1 合成関数とは

連鎖律を扱う前に、**合成関数**を解説します。合成関数とは、

$$y = f(u)$$
$$u = g(x)$$

のようにして、複数の関数の合成で表される関数のことです。

例えば、関数$y = (x^2 + 1)^3$は、以下のようなuを挟んだ合成関数と考えることができます。

$$y = u^3$$
$$u = x^2 + 1$$

5-2-2 連鎖律（chain rule）とは

合成関数の微分は、構成する各関数の導関数の積で表すことができます。これを**連鎖律**（chain rule）といいます。

連鎖律は以下の式で表されます。

$$\frac{dy}{dx} = \frac{dy}{du}\frac{du}{dx} \qquad \text{（式 1）}$$

yがuの関数で、uがxの関数であるとき、（式 1）の公式を用いてyをxで微分することができます。

例として、以下の関数を微分してみましょう。

$$y = (x^3 + 2x^2 + 3x + 4)^3$$

この式において、uを以下の通りに設定します。

$$u = x^3 + 2x^2 + 3x + 4$$

これにより、yを以下のように表すことができます。

$$y = u^3$$

このとき、(式 1) の連鎖律の式を用いると、yをxで微分することができます。

$$\begin{aligned}\frac{dy}{dx} &= \frac{dy}{du}\frac{du}{dx} \\ &= 3u^2(3x^2 + 4x + 3) \\ &= 3(x^3 + 2x^2 + 3x + 4)^2(3x^2 + 4x + 3)\end{aligned}$$

導関数を求めることができました。以上のように、合成関数は連鎖律を用いることで微分することができます。

5-2-3 連鎖律の証明

連鎖律を証明します。

厳密な証明ではありませんが、連鎖律のイメージを把握することが重要です。

$y = f(u)$、$u = g(x)$としたとき、yのxによる導関数は次のようになります。

$$\begin{aligned}\frac{dy}{dx} &= \lim_{\Delta x \to 0} \frac{f(g(x + \Delta x)) - f(g(x))}{\Delta x} \\ &= \lim_{\Delta x \to 0} (\frac{f(g(x + \Delta x)) - f(g(x))}{g(x + \Delta x) - g(x)} \cdot \frac{g(x + \Delta x) - g(x)}{\Delta x})\end{aligned}$$

ここで、$\Delta u = g(x + \Delta x) - g(x)$とおくと、$\Delta x \to 0$のとき、$\Delta u \to 0$なので、

$$\begin{aligned}\frac{dy}{dx} &= \lim_{\Delta x \to 0} (\frac{f(u + \Delta u) - f(u)}{\Delta u} \cdot \frac{\Delta u}{\Delta x}) \\ &= \lim_{\Delta u \to 0} (\frac{f(u + \Delta u) - f(u)}{\Delta u}) \cdot \lim_{\Delta x \to 0} \frac{\Delta u}{\Delta x} \\ &= \frac{dy}{du}\frac{du}{dx}\end{aligned}$$

以上のように連鎖律が導かれます。

ATTENTION

連鎖律の証明

連鎖律を厳密に証明するためには、上記で$\Delta u = g(x + \Delta x) - g(x)$がある区間で0となってしまう場合も考慮する必要があります。この場合、分母が0になる問題に対処する必要があります。

5-2-4 演習

問題

以下の合成関数の導関数を、連鎖律を使って求めましょう。

答えは紙に書いても、Jupyter NotebookのセルにLaTeXで記述してもかまいません。

$$y = (x^2 + 4x + 1)^4$$

解答例

$$u = x^2 + 4x + 1$$

$$y = u^4$$

とおくと、連鎖律により、

$$\begin{aligned} \frac{dy}{dx} &= \frac{dy}{du}\frac{du}{dx} \\ &= 4u^3(2x + 4) \\ &= 4(x^2 + 4x + 1)^3(2x + 4) \end{aligned}$$

5.3 偏微分

偏微分では、多変数関数を1つの変数により微分します。

人工知能において、1つのパラメータの変化が全体に及ぼす影響を求めるのに使います。

5-3-1 偏微分とは

複数の変数を持つ関数に対する、1つの変数のみによる微分を**偏微分**といいます。

偏微分の場合、他の変数は定数として扱います。

例えば、2変数からなる関数$f(x,y)$の偏微分は、次のように∂（デル、ディー、パーシャルディーなどと読む）の記号を使って表すことができます。

$$\frac{\partial}{\partial x}f(x,y)=\lim_{\Delta x\to 0}\frac{f(x+\Delta x,y)-f(x,y)}{\Delta x}$$

xのみ微小量Δxだけ変化させて、Δxを限りなく0に近づけます。yは微小変化しないので、偏微分の際は定数のように扱うことができます。

偏微分のイメージを 図5.2 に示します。

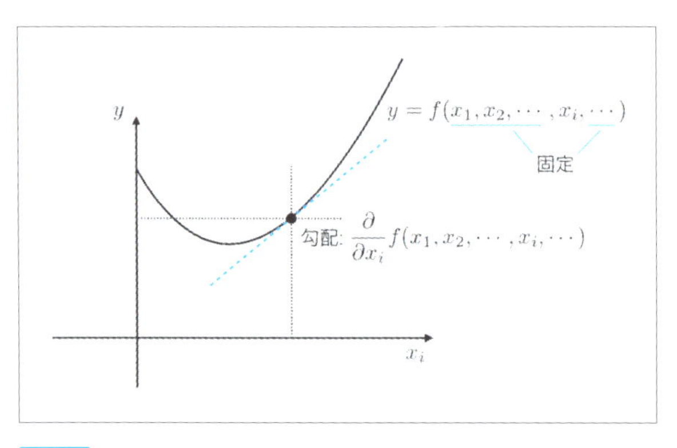

図5.2 偏微分のイメージ

図5.2 では、x_i以外の変数を固定して、x_iに対する$f(x_1,x_2,\cdots,x_i,\cdots)$の変化の割合を求めています。

このように、偏微分ではある変数x_i以外の変数を固定して、x_iの変化に対する$f(x_1,x_2,\cdots,x_i,\cdots)$の変化の割合、すなわち勾配を求めます。

5-3-2 偏微分の例

例として、次のような変数x、yを持つ関数$f(x,y)$を考えてみましょう。

$$f(x,y)=3x^2+4xy+5y^3$$

この関数を偏微分します。偏微分の際はyを定数として扱い、微分の公式を用いてxで微分します。

これにより、以下の式を得ることができます。偏微分ではdではなく∂の記号を使います。

$$\frac{\partial}{\partial x}f(x,y)=6x+4y$$

このような、偏微分により求めた関数を**偏導関数**といいます。この場合、偏導関数はyの値を固定した際の、xの変化に対する$f(x,y)$の変化の割合になります。

$f(x,y)$のyによる偏微分は以下の通りです。この場合、xは定数として扱います。

$$\frac{\partial}{\partial y}f(x,y)=4x+15y^2$$

これは、xの値を固定した際の、yの変化に対する$f(x,y)$の変化の割合になります。

偏微分を用いることで、特定のパラメータの微小な変化が、結果へ及ぼす影響を予測することができます。

5-3-3 演習

問題

以下の2変数関数を、xおよびyで偏微分しましょう。

答えは紙に書いても、Jupyter NotebookのセルにLaTeXで記述してもかまいません。

$$f(x,y)=2x^3+4x^2y+xy^2-4y^2$$

解答例

$$\frac{\partial}{\partial x}f(x,y) = 6x^2 + 8xy + y^2$$

$$\frac{\partial}{\partial y}f(x,y) = 4x^2 + 2xy - 8y$$

5.4 全微分

全微分では、多変数関数の微小変化を、すべての変数の微小変化を使って求めます。

5-4-1 全微分とは

2変数関数$z=f(x,y)$の**全微分**は、次の式で表されます。

$$dz = \frac{\partial z}{\partial x}dx + \frac{\partial z}{\partial y}dy \tag{式 1}$$

xによる偏微分にxの微小変化dxを掛けたものと、yによる偏微分にyの微小変化dyを掛けたものを足し合わせて、zの微小変化dzとしています。

変数が2つより多い関数も考えられますので、より汎用的な形で書いてみましょう。

以下は、n個の変数を持つ関数zの全微分です。x_iが各変数を表します。

$$dz = \sum_{i=1}^{n} \frac{\partial z}{\partial x_i}dx_i$$

全微分を用いることで、多変数関数の微小な変化量を、各変数による偏微分と各変数の微小な変化により求めることができます。

人工知能では多くのパラメータを持つ多変数関数を扱うので、結果の微小な変化量を求めるために全微分が役に立ちます。

5-4-2 全微分の式の導出

（式1）を導出します。

関数$z = f(x, y)$を考えます。xの微小な変化をΔx、yの微小な変化をΔyとすると、zの微小な変化Δzは次のように表されます。

$$
\begin{aligned}
\Delta z &= f(x+\Delta x, y+\Delta y) - f(x, y) \\
&= f(x+\Delta x, y+\Delta y) - f(x, y+\Delta y) + f(x, y+\Delta y) - f(x, y) \\
&= \frac{f(x+\Delta x, y+\Delta y) - f(x, y+\Delta y)}{\Delta x}\Delta x + \frac{f(x, y+\Delta y) - f(x, y)}{\Delta y}\Delta y
\end{aligned}
$$

この式で、ΔxとΔyを次のように0に限りなく近づけます。

$$
\begin{aligned}
\lim_{\Delta x \to 0 \Delta y \to 0} \Delta z = \lim_{\Delta x \to 0 \Delta y \to 0} & \frac{f(x+\Delta x, y+\Delta y) - f(x, y+\Delta y)}{\Delta x}\Delta x \\
&+ \lim_{\Delta x \to 0 \Delta y \to 0} \frac{f(x, y+\Delta y) - f(x, y)}{\Delta y}\Delta y
\end{aligned}
$$

この式で、Δyが十分小さければ、右辺第1項のΔyは無視できます。

このとき、右辺の第1項、第2項ともに偏微分の定義の式を含むようになります。

さらに、左辺をdz、微小量ΔxとΔyをdx、dyとおくと、次の式が導かれます。

$$
dz = \frac{\partial z}{\partial x}dx + \frac{\partial z}{\partial y}dy
$$

5-4-3 全微分の例

以下の関数を全微分してみましょう。

$$
f(x, y) = 3x^2 + 4xy + 5y^3
$$

xおよびyによる偏微分は以下の通りです。

$$
\frac{\partial}{\partial x}f(x, y) = 6x + 4y
$$

$$
\frac{\partial}{\partial y}f(x, y) = 4x + 15y^2
$$

従って、(式 1) により、全微分は以下のように表されます。

$$dz = (6x + 4y)dx + (4x + 15y^2)dy$$

5-4-4 演習

問題

以下の2変数関数を全微分しましょう。

答えは紙に書いても、Jupyter NotebookのセルにLaTeXで記述してもかまいません。

$$f(x, y) = 2x^3 + 4x^2y + xy^2 - 4y^2$$

解答例

$$\frac{\partial}{\partial x}f(x, y) = 6x^2 + 8xy + y^2$$

$$\frac{\partial}{\partial y}f(x, y) = 4x^2 + 2xy - 8y$$

従って (式 1) により、

$$dz = (6x^2 + 8xy + y^2)dx + (4x^2 + 2xy - 8y)dy$$

5.5 多変数合成関数の連鎖律

多変数からなる合成関数を、連鎖律により微分します。

5-5-1 多変数合成関数の微分①

多変数からなる合成関数に連鎖律を適用しましょう。

まずは、以下の合成関数を考えます。

$$z = f(u, v)$$
$$u = g(x)$$
$$v = h(x)$$

zはuとvの関数で、uとvはそれぞれxの関数です。この合成関数で$\frac{dz}{dx}$を求めましょう。

この場合、以前に扱った全微分の式により以下が成り立ちます。

$$dz = \frac{\partial z}{\partial u}du + \frac{\partial z}{\partial v}dv$$

この式の両辺を微小量dxで割ることで、合成関数zのxによる微分を次の式のように得ることができます。

$$\frac{dz}{dx} = \frac{\partial z}{\partial u}\frac{du}{dx} + \frac{\partial z}{\partial v}\frac{dv}{dx}$$

この式を一般化します。uやvのような媒介する変数がm個あるとすると、次のように表すことができます。

$$\frac{dz}{dx} = \sum_{i=1}^{m} \frac{\partial z}{\partial u_i}\frac{du_i}{dx} \qquad \text{(式 1)}$$

u_iは、上記のu、vのような媒介する変数です。以前に解説した連鎖律の式に、総和の記号Σが加わりました。

5-5-2 多変数合成関数の微分②

同様のプロセスを、以下の合成関数に適用してみましょう。

$$z = f(u, v)$$
$$u = g(x, y)$$
$$v = h(x, y)$$

zはuとvの関数で、uとvはともにxとyの関数です。

この場合、zのxに対する変化の割合と、zのyに対する変化の割合は偏微分で表されます。

これらは、(式 1) を適用すると次の形になります。

$$\frac{\partial z}{\partial x} = \frac{\partial z}{\partial u}\frac{\partial u}{\partial x} + \frac{\partial z}{\partial v}\frac{\partial v}{\partial x}$$
$$\frac{\partial z}{\partial y} = \frac{\partial z}{\partial u}\frac{\partial u}{\partial y} + \frac{\partial z}{\partial v}\frac{\partial v}{\partial y}$$

これらの式を一般化します。x_kがzを構成する変数の1つであり、媒介する変数がm個あるとき、以下の関係が成り立ちます。

$$\frac{\partial z}{\partial x_k} = \sum_{i=1}^{m} \frac{\partial z}{\partial u_i}\frac{\partial u_i}{\partial x_k}$$

さらに、上記をベクトルで表します。zが変数$x_1, x_2, \cdots, x_n$の関数であり、間に入る関数がm個ある場合、以下の関係が成り立ちます。

$$(\frac{\partial z}{\partial x_1}, \frac{\partial z}{\partial x_2}, \cdots, \frac{\partial z}{\partial x_n}) = (\sum_{i=1}^{m} \frac{\partial z}{\partial u_i}\frac{\partial u_i}{\partial x_1}, \sum_{i=1}^{m} \frac{\partial z}{\partial u_i}\frac{\partial u_i}{\partial x_2}, \cdots, \sum_{i=1}^{m} \frac{\partial z}{\partial u_i}\frac{\partial u_i}{\partial x_n})$$

このようにして、すべての変数による偏導関数を一度に表すことができます。

以上により、多変数の連鎖律が一般的な形で表されました。人工知能では多変数の合成関数を扱いますが、連鎖律により各変数が関数に与える影響を求めることができます。

5-5-3 多変数合成関数の微分の例

以下の合成関数をxで微分します。

$$z = u^3 + 3v^2$$

$$u = 2x^2 + 3x + 4$$

$$v = x^2 + 5$$

（式 1）により、

$$\begin{aligned} \frac{dz}{dx} &= \frac{\partial z}{\partial u}\frac{du}{dx} + \frac{\partial z}{\partial v}\frac{dv}{dx} \\ &= 3u^2(4x+3) + 6v(2x) \\ &= 3(2x^2+3x+4)^2(4x+3) + 12x(x^2+5) \end{aligned}$$

このように、多変数の合成関数であっても連鎖律を用いれば微分することが可能です。

5-5-4 演習

問題

以下の合成関数zをxで微分しましょう。

答えは紙に書いても、Jupyter NotebookのセルにLaTeXで記述してもかまいません。

$$z = 2u^3 + uv^2 + 4v$$

$$u = x^2 + 3x$$

$$v = x + 7$$

解答例

（式 1）により、

$$\begin{aligned}
\frac{dz}{dx} &= \frac{\partial z}{\partial u}\frac{du}{dx} + \frac{\partial z}{\partial v}\frac{dv}{dx} \\
&= (6u^2 + v^2)(2x + 3) + (2uv + 4) \\
&= (6(x^2 + 3x)^2 + (x + 7)^2)(2x + 3) + 2(x^2 + 3x)(x + 7) + 4
\end{aligned}$$

5.6 ネイピア数と自然対数

ネイピア数と自然対数は、人工知能の様々な場面で使用されます。

5-6-1 ネイピア数とは

ネイピア数eは、数学的にとても便利な性質を持った数です。ネイピア数の値は、円周率πのように無限に桁が続く小数です。

$$e = 2.718281828459045235360287471352...$$

eの値ですが、次の極限として求めることができます。

$$e = \lim_{n \to \infty} \left(1 + \frac{1}{n}\right)^n$$

$\left(1 + \frac{1}{n}\right)^n$ はnが大きくなると次第にeの値に近づきますが、これに関しては後ほど演習で確かめます。

ネイピア数は、次のようなべき乗の形でよく用いられます。

$$y = e^x \quad \textbf{(式 1)}$$

この式は、次のように微分しても式が変わらないという大変便利な特徴を持っています。

$$\begin{aligned}\frac{dy}{dx} &= \lim_{\Delta x \to 0} \frac{e^{x+\Delta x} - e^x}{\Delta x} \\ &= e^x\end{aligned}$$

この性質のためネイピア数は数学的に扱いやすく、人工知能における様々な数式で使用されています。

(式 1) は次のように表記することもあります。

$$y = \exp(x)$$

この表記は、( )の中に多くの記述が必要な場合に便利です。eの右肩に小さな文字で多くの記述があると、式が読みづらくなってしまうからです。

ATTENTION

Pythonにおけるe

Pythonにおいて**1.2e5**、**2.4e-4**などの数値の表記に用いられる**e**は、ネイピア数とは関係ありません。

5.6.2 ネイピア数の実装

ネイピア数は、NumPyにおいて**e**で取得することができます。また、ネイピア数のべき乗はNumPyの**exp()**関数で実装することができます（リスト5.4）。

リスト5.4 ネイピア数を表示する

In
```
import numpy as np

print(np.e)  # ネイピア数
print(np.exp(1))  #eの1乗
```

Out
```
2.718281828459045
2.718281828459045
```

次に、以下の式で表されるネイピア数のべき乗をグラフにします（リスト5.5）。

$$y = \exp(x)$$

リスト5.5 ネイピア数のべき乗をグラフにする

In
```
%matplotlib inline

import numpy as np
import matplotlib.pyplot as plt

x = np.linspace(-2, 2)
y = np.exp(x)  # ネイピア数のべき乗

plt.plot(x, y)

plt.xlabel("x", size=14)
plt.ylabel("y", size=14)
plt.grid()
```

```
plt.show()
```

Out

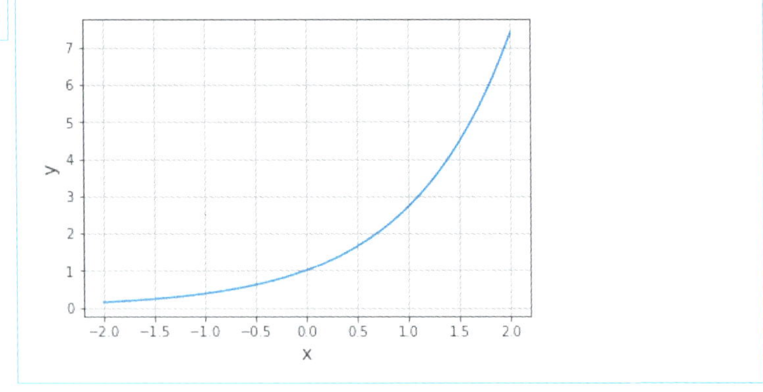

ネイピア数のべき乗は、xが0のとき1となり、xが1のときにネイピア数の値になります。xが小さくなると0に近づき、xが大きくなるとともに増加率が増大します。

5-6-3 自然対数とは

$y = a^x \quad (a > 0, \ a \neq 1)$を、左辺が$x$になるように変形しましょう。

ここで、logの記号を使います。この記号を用いて、xを次のように表します。

$$x = \log_a y$$

この式において、xは「aをべき乗してyになる数」になります。

この式で、xとyを入れ替えます。

$$y = \log_a x$$

この$\log_a x$を、**対数**と呼びます。

そして、特にaがネイピア数eである場合、$\log_e x$を、**自然対数**と呼びます。自然対数は次のように表されます。

$$y = \log_e x$$

この式では、eをy乗するとxになります。

自然対数は、「eを何乗したらxになるか」を表します。

この表記において、ネイピア数eはよく次のように省略されます。

$$y = \log x$$

なお、自然対数を含む対数にはいくつかの公式があります。以下に代表的な公式をいくつか示します。

$a > 0$、$a \neq 1$、$p > 0$、$q > 0$のとき、以下の関係を満たします。

$$\log_a pq = \log_a p + \log_a q$$

$$\log_a \frac{p}{q} = \log_a p - \log_a q$$

$$\log_a p^r = r \log_a p$$

上記のうち、$\log_a pq = \log_a p + \log_a q$の関係は、以下のように総和と総乗の記号を使って一般化することができます。

$$\log_a \prod_{k=1}^{n} p_k = \sum_{k=1}^{n} \log_a p_k$$

5-6-4 自然対数と導関数

自然対数の導関数は、以下のようにxの逆数となります。

$$\frac{d}{dx} \log x = \frac{1}{x}$$

導関数がシンプルな形になるのも、自然対数のメリットです。

なお、$y = a^x$（aは任意の実数）のようなべき乗の導関数は、自然対数を使用して表されます。

$$\frac{d}{dx} a^x = a^x \log a$$

上記の式において、特にaがネイピア数eの場合以下の通りになります。

$$\frac{d}{dx} e^x = e^x$$

ネイピア数のべき乗は、微分してももとの形のままですね。微分するのが簡単なので、べき乗が必要な関数でネイピア数はよく用いられます。

5-6-5 自然対数の実装

自然対数は、NumPyの**log()**関数を使って実装することができます（リスト5.6）。

リスト5.6 **log()**関数により、自然対数を計算する

In

```
import numpy as np

print(np.log(np.e))  # ネイピア数の自然対数
print(np.log(np.exp(2)))  # ネイピア数の2乗の自然対数
print(np.log(np.exp(12)))  # ネイピア数の12乗の自然対数
```

Out

```
1.0
2.0
12.0
```

ネイピア数の自然対数は、定義の通り1になることが確認できます。また、ネイピア数のべき乗の自然対数は、右肩の指数になることも確認できます。

次に、以下の式で表される自然対数をグラフにします（リスト5.7）。

$$y = \log x$$

リスト5.7 自然対数をグラフにする

In

```
import numpy as np
import matplotlib.pyplot as plt

x = np.linspace(0.01, 2)  # xを0にすることはできない
y = np.log(x)  # 自然対数

plt.plot(x, y)
```

```
plt.xlabel("x", size=14)
plt.ylabel("y", size=14)
plt.grid()

plt.show()
```

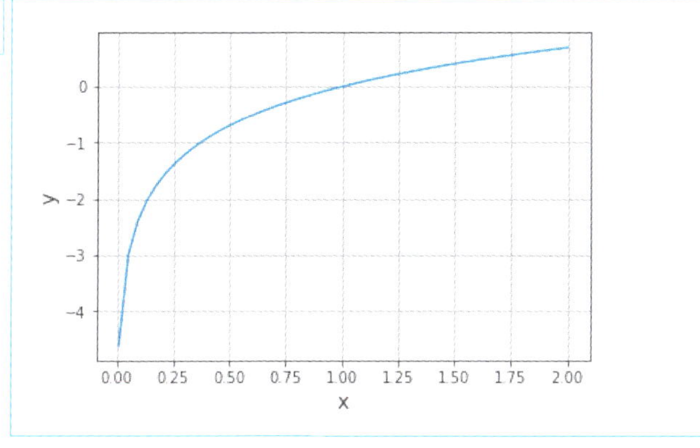

自然対数は、xが1のとき0となります。また、xが0に近づくと無限に小さくなります。xが大きくなるとともに単調増加しますが、増加率は次第に小さくなります。

5-6-6 シグモイド関数

機械学習の一分野、ニューラルネットワークでは**シグモイド関数**というネイピア数を用いた関数がよく使われます。シグモイド関数は以下の数式で表されます。

$$y = \frac{1}{1 + \exp(-x)}$$

この関数の、導関数を求めます。$u = 1 + \exp(-x)$とおくと、以下のように連鎖律を使って微分できます。

$$
\begin{aligned}
\frac{dy}{dx} &= \frac{dy}{du}\frac{du}{dx} \\
&= \frac{d}{du}(u^{-1})\frac{d}{dx}(1+\exp(-x)) \\
&= (-u^{-2})(-\exp(-x)) \\
&= \frac{\exp(-x)}{(1+\exp(-x))^2} \\
&= \left(\frac{\exp(-x)}{1+\exp(-x)}\right)\left(\frac{1}{1+\exp(-x)}\right) \\
&= \left(\frac{1+\exp(-x)}{1+\exp(-x)} - \frac{1}{1+\exp(-x)}\right)\left(\frac{1}{1+\exp(-x)}\right) \\
&= (1-y)y
\end{aligned}
$$

シグモイド関数yの導関数は、$(1-y)y$となりました。このように導関数がシンプルなことも、シグモイド関数のメリットです。

リスト5.8では、NumPyの**exp()**関数を使ってシグモイド関数、およびその導関数のグラフを描画します。

リスト5.8 シグモイド関数、およびその導関数のグラフ

In

```
import numpy as np
import matplotlib.pylab as plt

def sigmoid_function(x):  # シグモイド関数
    return 1/(1+np.exp(-x))

def grad_sigmoid(x):  # シグモイド関数の導関数
    y = sigmoid_function(x)
    return (1-y)*y

x = np.linspace(-5, 5)
y = sigmoid_function(x)
y_grad = grad_sigmoid(x)

plt.plot(x, y, label="y")
```

```
plt.plot(x, y_grad, label="y_grad")
plt.legend()

plt.xlabel("x", size=14)
plt.ylabel("y", size=14)
plt.grid()

plt.show()
```

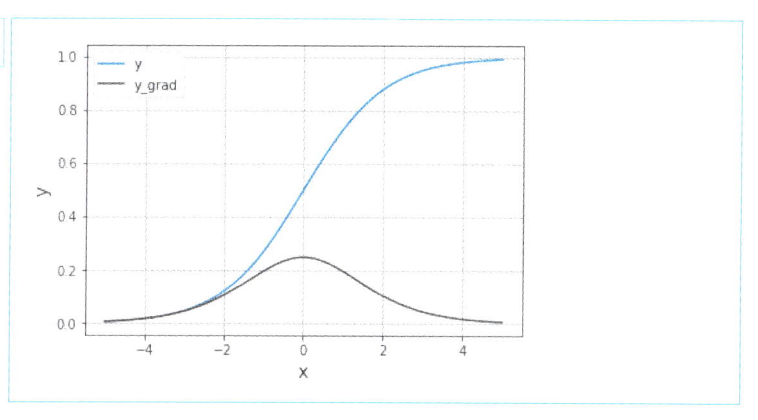

リスト5.8のように、シグモイド関数はxの値が小さくなると0に近づき、xの値が大きくなると1に近づきます。また、導関数のほうはxが0のとき最大値の0.25をとり、0から離れるにつれて0に近づいていきます。

シグモイド関数により、入力を0と1の間の連続的な出力に変換することができます。この特性を活かして、人工知能では人工的な神経細胞の興奮度合いを表す**活性化関数**として、シグモイド関数が使われることがあります。また、シグモイド関数の導関数は、ニューラルネットワークを最適化する**バックプロパゲーション**というアルゴリズムにおいて使われることがあります。

5-6-7 演習

問題

以下の数式におけるnの値を少しずつ大きくして、a_nの値がネイピア数に近づくことをコードで確認しましょう（リスト5.9）。

$$a_n = \lim_{n \to \infty} \left(1 + \frac{1}{n}\right)^n$$

リスト5.9 問題

In

```
# ネイピア数: e = 2.71828 18284 59045 23536 02874 71352 …

import numpy as np

def approach_napier(n):
    return (1 + 1/n)**n

n_list = [2, 4, 10]  # このリストにさらに大きな値を追加する
for n in n_list:
    print("a_"+ str(n) + " =", approach_napier(n))
```

解答例

リスト5.10 解答例

In

```
# ネイピア数: e = 2.71828 18284 59045 23536 02874 71352 …

import numpy as np

def approach_napier(n):
    return (1 + 1/n)**n

n_list = [2, 4, 10, 100, 1000, 10000] ➡
# このリストにさらに大きな値を追加する
for n in n_list:
    print("a_"+ str(n) + " =", approach_napier(n))
```

Out

```
a_2 = 2.25
a_4 = 2.44140625
a_10 = 2.5937424601000023
a_100 = 2.7048138294215285
a_1000 = 2.7169239322355936
a_10000 = 2.7181459268249255
```

5.7 最急降下法

最急降下法では、微分により求めた傾きに基づき関数の最小値を求めます。人工知能においては、学習のためのアルゴリズムでしばしば用いられます。

5-7-1 最急降下法とは

勾配法とは、関数の微分値（勾配）をもとに最小値などの探索を行うアルゴリズムです。

最急降下法は勾配法の一種で、最も急な方向に降下するようにして最小値を探索します。

以下、最急降下法のアルゴリズムを解説します。

こちらの多変数関数、$f(\vec{x})$の最小値を探索します。

$$f(\vec{x}) = f(x_1, x_2, \cdots, x_i, \cdots, x_n)$$

このとき、$\vec{x}$の初期値を適当に決めた上で、以下の式に基づき$\vec{x}$のすべての要素を更新します。

$$x_i \leftarrow x_i - \eta \frac{\partial f(\vec{x})}{\partial x_i} \qquad \text{（式 1）}$$

ここでηは学習係数と呼ばれる定数で、x_iの更新速度を決めます。

この式により、勾配$\frac{\partial f(\vec{x})}{\partial x_i}$が大きいほど（勾配が急であるほど）、$x_i$の値は大きく変更されることになります。

これを$f(\vec{x})$が変化しなくなるまで（勾配が0になるまで）繰り返すことで、$f(\vec{x})$の最小値を求めます。

5-7-2 最急降下法の実装

以下の簡単な一変数関数$f(x)$の最小値を、最急降下法を使って求めます。

$$f(x) = x^2 - 2x$$

この関数は、xの値が1のときに最小値$f(1) = -1$をとります。また、この関数をxで微分すると次の通りです。

$$\frac{df(x)}{dx} = 2x - 2$$

一変数なので、偏微分ではなく常微分を使っています。

リスト5.11のコードは、上記の関数の最小値を、最急降下法により求めます。(式1)を使って20回xを更新し、その過程を最後にグラフで表示します。

リスト5.11 最急降下法により関数の最小値を求める

In

```
%matplotlib inline

import numpy as np
import matplotlib.pyplot as plt

def my_func(x):  # 最小値を求める関数
    return x**2 - 2*x

def grad_func(x):  # 導関数
    return 2*x - 2

eta = 0.1  # 学習係数
x = 4.0  # xに初期値を設定
record_x = []  # xの記録
record_y = []  # yの記録
for i in range(20):  # 20回xを更新する
    y = my_func(x)
    record_x.append(x)
```

```
    record_y.append(y)
    x -= eta * grad_func(x)  # (式1)

x_f = np.linspace(-2, 4)  # 表示範囲
y_f = my_func(x_f)

plt.plot(x_f, y_f, linestyle="dashed")  # 関数を点線で表示
plt.scatter(record_x, record_y)  # xとyの記録を表示

plt.xlabel("x", size=14)
plt.ylabel("y", size=14)
plt.grid()

plt.show()
```

Out

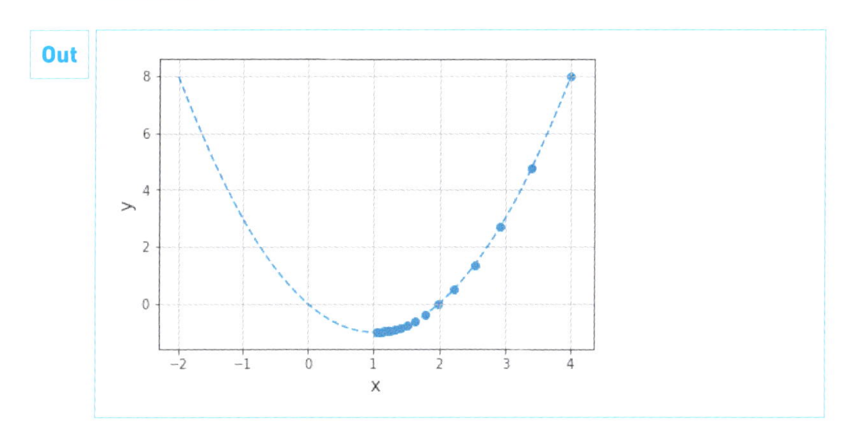

xの初期値は4ですが、そこから関数を滑り落ちるようにして最小値付近に到達しました。次第にxの間隔は狭くなっており、勾配が小さくなるとともにxの更新量が小さくなることが確認できます。最急降下法が機能していますね。

なお、最急降下法により求められる最小値は、厳密な最小値ではありません。しかしながら、現実の問題を扱う際は関数の形状さえわからないことが多いので、最急降下法により最小値を少しずつ探索するアプローチが有効になります。

5-7-3 局所的な最小値

最小値には、全体の最小値と局所的な最小値があります。先ほどの例では関数が比較的単純なので、全体の最小値にあっさりとたどり着くことができました。しかしながら、人工知能で扱う問題は関数の形状が複雑なことが多いので、局所的な最小値にトラップされて全体の最小値にたどり着けないことがあります。

以下では、局所的な最小値の例を見ていきます。以下の関数$f(x)$の最小値を、最急降下法を使って求めます。

$$f(x) = x^4 + 2x^3 - 3x^2 - 2x$$

この関数をxで微分すると次のようになります。

$$\frac{df(x)}{dx} = 4x^3 + 6x^2 - 6x - 2$$

リスト5.12のコードでは、上記の関数に最急降下法を適用しています。

リスト5.12 局所的な最小値へのトラップ

In

```
import numpy as np
import matplotlib.pyplot as plt

def my_func(x):  # 最小値を求める関数
    return x**4 + 2*x**3 - 3*x**2 - 2*x

def grad_func(x):  # 導関数
    return 4*x**3 + 6*x**2 - 6*x - 2
```

```
eta = 0.01  # 学習係数
x = 1.6  # xに初期値を設定
record_x = []  # xの記録
record_y = []  # yの記録
for i in range(20):  # 20回xを更新する
    y = my_func(x)
    record_x.append(x)
    record_y.append(y)
    x -= eta * grad_func(x)  # (式1)

x_f = np.linspace(-2.8, 1.6)  # 表示範囲
y_f = my_func(x_f)

plt.plot(x_f, y_f, linestyle="dashed")  # 関数を点線で表示
plt.scatter(record_x, record_y)  # xとyの記録を表示

plt.xlabel("x", size=14)
plt.ylabel("y", size=14)
plt.grid()

plt.show()
```

Out

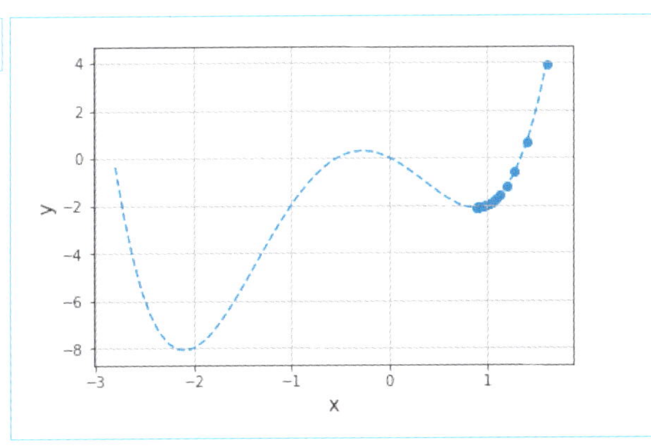

点線で表される関数のカーブには左右2つの凹みがありますね。左側が全体の最小値で、右側が局所的な最小値です。リスト5.12のコードでは`x = 1.6`を初期値としましたが、この場合右側の局所的な最小値にトラップされて抜け出せなくなってしまいます。

人工知能において、このような局所的な最小値へのトラップは深刻な問題です。適切に初期値を設定したり、あるいはランダム性を導入したりして、このような問題への対策が行われています。上記の場合でも、適切に初期値が設定されれば全体の最小値にたどり着くことができます。

5.7.4 演習

問題

リスト5.13の最急降下法のコードを実行すると、局所的な最小値にトラップされてしまいます。xの初期値を変更して、全体の最小値にたどり着けるようにしましょう。

リスト5.13 問題

In

```
import numpy as np
import matplotlib.pyplot as plt

def my_func(x):  # 最小値を求める関数
    return x**4 - 2*x**3 - 3*x**2 + 2*x

def grad_func(x):  # 導関数
    return 4*x**3 - 6*x**2 - 6*x + 2

eta = 0.01  # 定数
x = -1.6  # === ここで、xの初期値を変更する ===
record_x = []  # xの記録
record_y = []  # yの記録
for i in range(20):  # 20回xを更新する
    y = my_func(x)
    record_x.append(x)
```

```
    record_y.append(y)
    x -= eta * grad_func(x)  # (式1)

x_f = np.linspace(-1.6, 2.8)  # 表示範囲
y_f = my_func(x_f)

plt.plot(x_f, y_f, linestyle="dashed")  # 関数を点線で表示
plt.scatter(record_x, record_y)  # xとyの記録を表示

plt.xlabel("x", size=14)
plt.ylabel("y", size=14)
plt.grid()

plt.show()
```

解答例

リスト5.14 解答例

In

```
import numpy as np
import matplotlib.pyplot as plt

def my_func(x):  # 最小値を求める関数
    return x**4 - 2*x**3 - 3*x**2 + 2*x

def grad_func(x):  # 導関数
    return 4*x**3 - 6*x**2 - 6*x + 2

eta = 0.01  # 定数
x = 1.0  # === ここで、xの初期値を変更する ===
record_x = []  # xの記録
record_y = []  # yの記録
for i in range(20):  # 20回xを更新する
```

```
    y = my_func(x)
    record_x.append(x)
    record_y.append(y)
    x -= eta * grad_func(x)  # (式1)

x_f = np.linspace(-1.6, 2.8)  # 表示範囲
y_f = my_func(x_f)

plt.plot(x_f, y_f, linestyle="dashed")  # 関数を点線で表示
plt.scatter(record_x, record_y)  # xとyの記録を表示

plt.xlabel("x", size=14)
plt.ylabel("y", size=14)
plt.grid()

plt.show()
```

Out

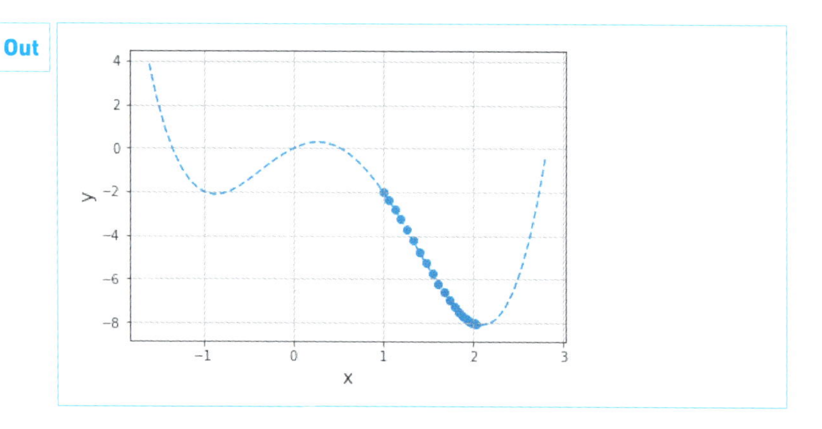

COLUMN

シンギュラリティと指数関数

2005年、アメリカの未来学者レイ・カーツワイルは、「指数関数的」に高度化するテクノロジーにより人工知能が2045年頃にヒトを凌駕する、シンギュラリティ（技術的特異点）という概念を発表しました。
それでは、この「指数関数」にはどのような特性があるのでしょうか。指数関数は以下のような関数を指します。aは定数です。

$$y = a^x$$

上記のaには、以下のようにネイピア数がよく使われます。

$$y = e^x$$

ここで、xを時間、yをテクノロジーの性能とします。上記の導関数y'は次の通りです。

$$y' = e^x$$

ネイピア数を使っているので関数の形は変わりませんが、上記はテクノロジーが向上する速度を表します。
時間xの変化とともに、テクノロジーの向上速度y'は次のように変化します。

$$x = 0 \text{のとき、} y' = e^0 = 1$$
$$x = 1 \text{のとき、} y' = e^1 \fallingdotseq 2.72$$
$$x = 2 \text{のとき、} y' = e^2 \fallingdotseq 7.39$$
$$x = 3 \text{のとき、} y' = e^3 \fallingdotseq 20.09$$
$$x = 4 \text{のとき、} y' = e^4 \fallingdotseq 54.60$$
$$x = 5 \text{のとき、} y' = e^5 \fallingdotseq 148.41$$

なんと、$x = 5$の時点におけるテクノロジーの向上速度は、$x = 0$の時点と比べて約148倍になりました。

西暦900年の時点で日本は平安時代ですが、その頃のテクノロジーの進歩はとてもゆっくりとしたものでした。人口の大部分は農民で、戦や疫病などに見舞われつつも、生涯ほぼ変わらない環境の中で日常を過ごしていました。おそらくですが、その時代の人間が100年後にタイムスリップしたとしても、それほど違和感は感じないはずです。
しかしながら、西暦1925年、大正時代の人間が西暦2025年にタイムスリップしたとしたら、その驚きは平安時代の比ではありません。きっと、その100年の間に登場したテレビ、コンピュータ、インターネット、スマートフォン、人工知能などのテクノロジーの進歩に圧倒されることでしょう。
まさに、テクノロジーの向上速度は指数関数的に変化しているといえます。

未来のことは誰にもわかりませんが、これまでのテクノロジー性能の変遷を指数関数でフィッティングすれば、シンギュラリティは必ずしも夢物語ではないようにも思えます。もちろん、シンギュラリティに関しては様々な反論もありますが、本書の執筆時点では加速が止まる予兆はまだ見えそうにありません。

第6章 確率・統計

本章では確率・統計を学びます。人工知能では多くのデータを扱いますが、確率・統計を学ぶことによりデータの傾向を捉えたり、結果を確率として捉えることが可能になります。

統計はデータの傾向や特徴を様々な指標で捉え、確率は世界を「起こりやすさ」として捉えます。これらを上手く活用すれば、データの全体像を捉え、未来を予測することができるようになります。

本章では、数式をコードに落とし込みグラフを描画することで、確率・統計を論理、イメージの両面から解説します。

6.1 確率の概念

現実世界の現象を表現するために、確率の概念はとても有用です。人工知能では、結果を確率で出力することがあります。

6-1-1 確率とは

確率（Probability）はある事象（できごと）が起きることが期待される度合いのことですが、次の式で表されます。

$$P(A) = \frac{a}{n}$$

この式において、$P(A)$は事象Aが起きる確率、aは事象Aが起きる場合の数、nはすべての場合の数です。

例として、コインを投げて表（おもて）が上になる確率を考えます。

コインを投げたときに上になる面は、表と裏の2通りですが、どちらの面が上になるのも同じ程度に期待されるとします。このとき、すべての場合の数は2で、表の面が出るという事象Aの場合の数は1です。従って、確率は次の通りになります。

$$P(A) = \frac{a}{n} = \frac{1}{2}$$

表が上になるという事象は50%期待されることになります。同じように、サイコロで5が出るという事象Aが起きる確率は、事象Aの場合の数が1ですべての場合の数が6なので、次のようになります。

$$P(A) = \frac{a}{n} = \frac{1}{6}$$

$\frac{1}{6}$なので、約16.7%期待されることになります。

次に、2つのサイコロを振って、目の合計が5になる確率を求めます。目の合計が5になるという事象Aは、(1, 4)、(2, 3)、(3, 2)、(4, 1)の4つの場合があります。

すべての場合の数は、$6 \times 6 = 36$通りになります。従って、この場合の確率は以下の通りになります。

$$P(A) = \frac{a}{n} = \frac{4}{36} = \frac{1}{9}$$

$\frac{1}{9}$なので約11.1%ですね。

2つのサイコロを振って合計が5になるのは、11.1%程度期待できるということになります。

6-1-2 余事象

事象Aに対して「Aが起こらないという事象」をAの**余事象**といいます。Aの余事象は、$\bar{A}$と表します。

余事象$\bar{A}$が起きる確率は、事象Aが起きる確率$P(A)$を用いて次のように表されます。

$$P(\bar{A}) = 1 - P(A)$$

例えば、2つのサイコロを振って目の合計が5になる確率は$\frac{1}{9}$でしたが、「2つのサイコロを振って目の合計が5以外になる確率」は次のように求めることができます。

$$P(\bar{A}) = 1 - \frac{1}{9} = \frac{8}{9}$$

$\frac{8}{9}$の確率で、目の合計は5以外になることになります。

目の合計が5以外になるすべての場合をリストアップするのは大変ですが、余事象を使うことで比較的簡単に確率を求めることができます。

6-1-3 確率への収束

多くの試行を重ねると、(事象の発生数/試行数)が確率に収束していきます。

リスト6.1は、サイコロを何度も振って5が出た回数を数え、(5が出た回数/振った回数)の変遷を表示するコードです。`np.random.randint(6)`により、0から5までの整数をランダムに得ることができます。

リスト6.1 確率への収束

In

```
%matplotlib inline

import numpy as np
import matplotlib.pyplot as plt

x = []
y = []
total = 0  # 試行数
num_5 = 0  # 5が出た回数
n = 5000  # サイコロを振る回数

for i in range(n):

    if np.random.randint(6)+1 == 5:  ➡
# 0-5までのランダムな数に1を加えて1-6に
        num_5 += 1

    total += 1
    x.append(i)
    y.append(num_5/total)

plt.plot(x, y)
plt.plot(x, [1/6]*n, linestyle="dashed")  ➡
# yは1/6がn個入ったリスト

plt.xlabel("x", size=14)
plt.ylabel("y", size=14)
plt.grid()

plt.show()
```

Out

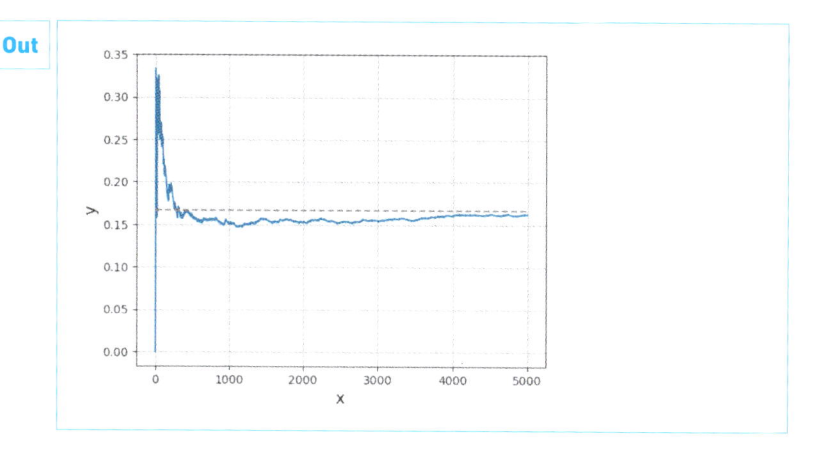

試行数が大きくなると、(5が出た回数/試行数)は確率（約16.7%）に収束していきます。このように、確率はある事象が起きることが期待される度合いを意味します。

6-1-4 演習

問題

リスト6.2のコードを補完し、(コインで表が上になる/コインを投げた回数）が確率$\frac{1}{2}$に収束することを確認しましょう。

リスト6.2 問題

In

```
import numpy as np
import matplotlib.pyplot as plt


x = []
y = []
total = 0  # 試行数
num_front = 0  # 表が上になった回数
n = 5000  # コインを投げる回数


for i in range(n):
    # ↓ここからコードを書く
```

```
    # ↑ここまでコードを書く

plt.plot(x, y)
plt.plot(x, [1/2]*n, linestyle="dashed")

plt.xlabel("x", size=14)
plt.ylabel("y", size=14)
plt.grid()

plt.show()
```

解答例

リスト6.3 解答例

In

```
import numpy as np
import matplotlib.pyplot as plt

x = []
y = []
total = 0  # 試行数
num_front = 0  # 表が上になった回数
n = 5000  # コインを投げる回数

for i in range(n):
    # ↓ここからコードを書く
    if np.random.randint(2) == 0:
        num_front += 1
```

```
        total += 1
        x.append(i)
        y.append(num_front/total)
        # ↑ここまでコードを書く

plt.plot(x, y)
plt.plot(x, [1/2]*n, linestyle="dashed")

plt.xlabel("x", size=14)
plt.ylabel("y", size=14)
plt.grid()

plt.show()
```

Out

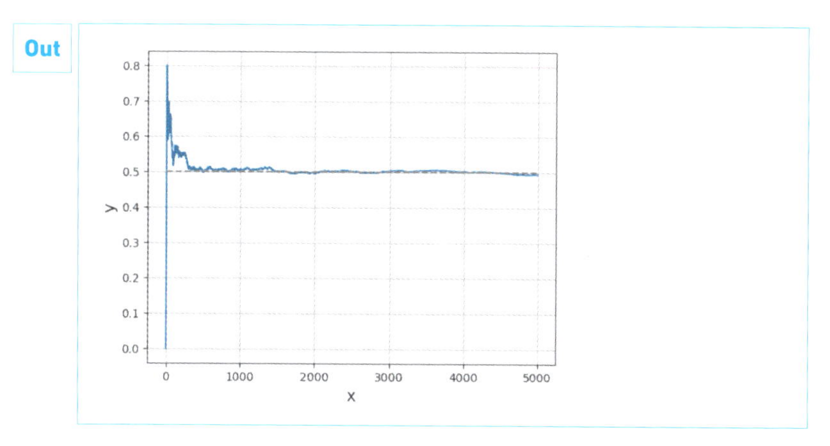

6.2 平均値と期待値

平均値と期待値は、それぞれデータの特徴を把握するために使用する値の1つです。実は、平均値と期待値は同じ概念を指しています。

6-2-1 平均値とは

平均値は、複数の値を足し合わせて値の数で割って求めます。
以下は、n個の値の平均値を求める式です。

$$\mu = \frac{x_1 + x_2 + \cdots + x_n}{n}$$
$$= \frac{1}{n}\sum_{k=1}^{n} x_k$$

例えば、Aさんの体重が55kg、Bさんは45kg、Cさんは60kg、Dさんが40kgであれば、4人の平均体重は以下の通りになります。

$$\frac{55 + 45 + 60 + 40}{4} = 50(\mathrm{kg})$$

平均値は、複数の値からなるデータを代表する値の1つです。

6-2-2 平均値を実装

NumPyの**average()**関数で、平均値を求めることができます（リスト6.4）。

リスト6.4 average()関数を使って、平均値を計算する

In

```
import numpy as np

x = np.array([55, 45, 60, 40])  # 平均をとるデータ

print(np.average(x))
```

Out

```
50.0
```

6-2-3 期待値とは

試行により、次の値のうちいずれかが得られるものとします。

$$x_1, x_2, \cdots, x_n$$

そして、それぞれの値は次の確率で得られるものとします。

$$P_1, P_2, \cdots, P_n$$

このとき、以下のように値と確率の積の総和として表される値Eを、**期待値**といいます。

$$E = \sum_{k=1}^{n} P_k x_k$$

期待値とは、大まかにいって得られる値の「見込み」のことです。

例えば、くじを引いて80%の確率で100円が、15%の確率で500円が、5%の確率で1000円が当たるとき、期待値は以下の通りになります。

$$\begin{aligned} E &= 0.8 \times 100 + 0.15 \times 500 + 0.05 \times 1000 \\ &= 205 \end{aligned}$$

従って、このくじの期待値は205円であり、くじを引くことで205円程度の収益が見込まれることになります。

6-2-4 期待値を実装

期待値は、NumPyの**sum()**関数を使い、確率と値の積の総和により計算することができます（リスト6.5）。

リスト6.5 sum()関数を使って、期待値を計算する

In
```
import numpy as np

p = np.array([0.8, 0.15, 0.05])  # 確率
x = np.array([100, 500, 1000])  # 値

print(np.sum(p*x))  # 期待値
```

Out
```
205.0
```

6-2-5 平均値と期待値の関係

値が重複する場合の平均値は、以下のように表すことができます。

$$\frac{1}{n}\sum_{k=1}^{m} n_k x_k \quad \text{(式 1)}$$

この式で、nは値の総数、n_kはx_kの個数で、mは値の種類の数です。

n_kは以下の関係を満たしています。

$$\sum_{k=1}^{m} n_k = n$$

(式 1) を次のように変形します。

$$\sum_{k=1}^{m} \frac{n_k}{n} x_k$$

ここで、$\frac{n_k}{n}$はその値が選択される確率と考えることができるので、P_kとおきます。

このとき、上記の式は次のようになります。

$$\sum_{k=1}^{m} P_k x_k$$

期待値の式と同じになりました。このように、実は平均値と期待値は同じ概念を意味しています。

人工知能関連の解説では、平均値と期待値が同じ意味で使われることがあるので注意しましょう。

6-2-6 演習

問題

リスト6.6 で、配列**p**は確率、配列**x**は確率**p**で得られる値とします。

この場合の期待値を計算しましょう。

リスト6.6 問題

In
```
import numpy as np
import matplotlib.pyplot as plt

p = np.array([0.75, 0.23, 0.02])  # 確率
x = np.array([100, 500, 10000])  # 値

# 期待値
```

解答例

リスト6.7 解答例

In
```
import numpy as np
import matplotlib.pyplot as plt

p = np.array([0.75, 0.23, 0.02])  # 確率
x = np.array([100, 500, 10000])  # 値

# 期待値
print(np.sum(p*x))
```

Out
```
390.0
```

6.3 分散と標準偏差

分散と標準偏差は、それぞれデータの特徴を把握するために使用する値の1つです。どちらも、データの散らばり具合を表します。

6-3-1 分散とは

分散は、以下の式のVで表されます。

$$V = \frac{1}{n}\sum_{k=1}^{n}(x_k - \mu)^2$$

この式において、nは値の総数、x_kは値、μは平均値です。

平均値との差を2乗し、平均をとっています。

例えば、Aさんの体重が55kg、Bさんは45kg、Cさんは60kg、Dさんが40kgであれば分散は以下のように求めます。

$$\mu = \frac{55 + 45 + 60 + 40}{4} = 50(\mathrm{kg})$$

$$V = \frac{(55-50)^2 + (45-50)^2 + (60-50)^2 + (40-50)^2}{4} = 62.5(\mathrm{kg}^2)$$

次に、Aさんの体重が51kg、Bさんは49kg、Cさんは52kg、Dさんが48kgのケースで分散を求めます。

このケースでは、先ほどと比べて値のばらつきが小さくなっています。

$$\mu = \frac{51 + 49 + 52 + 48}{4} = 50(\mathrm{kg})$$

$$V = \frac{(51-50)^2 + (49-50)^2 + (52-50)^2 + (48-50)^2}{4} = 2.5(\mathrm{kg}^2)$$

こちらのケースのほうが分散が小さくなりました。

以上のように、分散は値のばらつき具合を表す指標です。

6-3-2 分散を実装

NumPyの**var()**関数で、分散を求めることができます（リスト6.8）。

リスト6.8 var()関数を使って分散を計算する

In

```
import numpy as np


# 分散をとるデータ
x_1 = np.array([55, 45, 60, 40])
x_2 = np.array([51, 49, 52, 48])
```

```
# 分散の計算
print(np.var(x_1))
print(np.var(x_2))
```

Out

```
62.5
2.5
```

6-3-3 標準偏差とは

標準偏差は、以下の通りに分散の平方根により求めます。下記のσが標準偏差です。

$$\sigma = \sqrt{V} = \sqrt{\frac{1}{n}\sum_{k=1}^{n}(x_k - \mu)^2}$$

例えば、Aさんの体重が55kg、Bさんは45kg、Cさんは60kg、Dさんが40kgであれば標準偏差は以下のように求めます。

$$\mu = \frac{55 + 45 + 60 + 40}{4} = 50(\mathrm{kg})$$

$$\sigma = \sqrt{\frac{(55-50)^2 + (45-50)^2 + (60-50)^2 + (40-50)^2}{4}} \fallingdotseq 7.91(\mathrm{kg})$$

次に、より値のばらつきが小さいケースで標準偏差を求めましょう。Aさんの体重が51kg、Bさんは49kg、Cさんは52kg、Dさんが48kgとします。

$$\mu = \frac{51 + 49 + 52 + 48}{4} = 50(\mathrm{kg})$$

$$\sigma = \sqrt{\frac{(51-50)^2 + (49-50)^2 + (52-50)^2 + (48-50)^2}{4}} \fallingdotseq 1.58(\mathrm{kg})$$

以上のように、標準偏差も分散と同様に値のばらつき具合の指標となります。

標準偏差は単位の次元がもとの値と同じなので、値の散らばり具合を直感的に表現する際には標準偏差が適しています。

6-3-4 標準偏差を実装

標準偏差は、NumPyの**std()**関数を用いて求めることができます（リスト6.9）。

リスト6.9 **std()** 関数を使って標準偏差を計算する

In
```
import numpy as np

# 標準偏差をとるデータ
x_1 = np.array([55, 45, 60, 40])
x_2 = np.array([51, 49, 52, 48])

# 標準偏差の計算
print(np.std(x_1))
print(np.std(x_2))
```

Out
```
7.905694150420948
1.5811388300841898
```

6-3-5 演習

問題

リスト6.10において、配列**x**の分散と標準偏差を求めましょう。

リスト6.10 問題

In
```
import numpy as np

x = np.array([51, 49, 52, 48])  # 分散と標準偏差をとるデータ

# 分散と標準偏差
```

解答例

リスト6.11 解答例

In

```
import numpy as np

x = np.array([51, 49, 52, 48])  # 分散と標準偏差をとるデータ

# 分散と標準偏差
print(np.var(x))
print(np.std(x))
```

Out

```
2.5
1.5811388300841898
```

6.4 正規分布とべき乗則

正規分布は最もよく使われるデータ分布ですが、人工知能でも様々な場面で正規分布は活躍します。べき乗則に従う分布は、正規分布よりも裾野の広い分布となります。

6-4-1 正規分布とは

正規分布（normal distribution）はガウス分布（Gaussian distribution）とも呼ばれ、自然界や人間の行動・性質など様々な現象に対してよく当てはまるデータの分布です。

例えば、製品のサイズやヒトの身長、テストの成績などは正規分布におおよそ従います。正規分布は、図6.1のような釣鐘型のグラフで表されます。

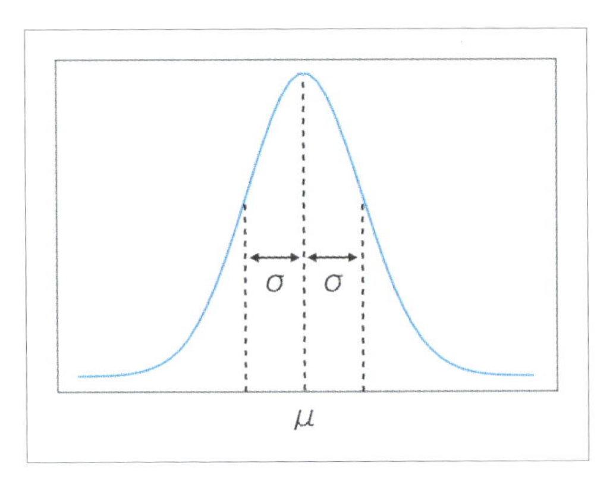

図6.1 正規分布のグラフ

図6.1 のグラフにおいて、横軸はある値を、縦軸はその値の頻度や確率を表します。

μは平均値で分布の中央になり、σは標準偏差で分布の広がり具合を表します。

正規分布のカーブは、以下の確率密度関数と呼ばれる関数で表されます。

$$f(x) = \frac{1}{\sigma\sqrt{2\pi}}\exp(-\frac{(x-\mu)^2}{2\sigma^2})$$

少々複雑な式ですが、平均が0、標準偏差が1とすると次の比較的シンプルな形になります。

$$f(x) = \frac{1}{\sqrt{2\pi}}\exp(-\frac{x^2}{2})$$

6-4-2 正規分布のカーブを描画

確率密度関数を使って、正規分布のカーブを描画しましょう。標準偏差を変えて3通りのカーブを描画します。平均値は0とします（リスト6.12）。

リスト6.12 正規分布のカーブを描画する

In

```
%matplotlib inline
```

```
import numpy as np
import matplotlib.pyplot as plt

def pdf(x, mu, sigma):  # mu: 平均値  sigma: 標準偏差
    return 1/(sigma*np.sqrt(2*np.pi))*np.exp(-(x-mu)➡
**2 / (2*sigma**2))  # 確率密度関数

x = np.linspace(-5, 5)
y_1 = pdf(x, 0.0, 0.5)  # 平均値が0で標準偏差が0.5
y_2 = pdf(x, 0.0, 1.0)  # 平均値が0で標準偏差が1
y_3 = pdf(x, 0.0, 2.0)  # 平均値が0で標準偏差が2

plt.plot(x, y_1, label="σ: 0.5", linestyle="dashed")
plt.plot(x, y_2, label="σ: 1.0", linestyle="solid")
plt.plot(x, y_3, label="σ: 2.0", linestyle="dashdot")
plt.legend()

plt.xlabel("x", size=14)
plt.ylabel("y", size=14)
plt.grid()

plt.show()
```

Out

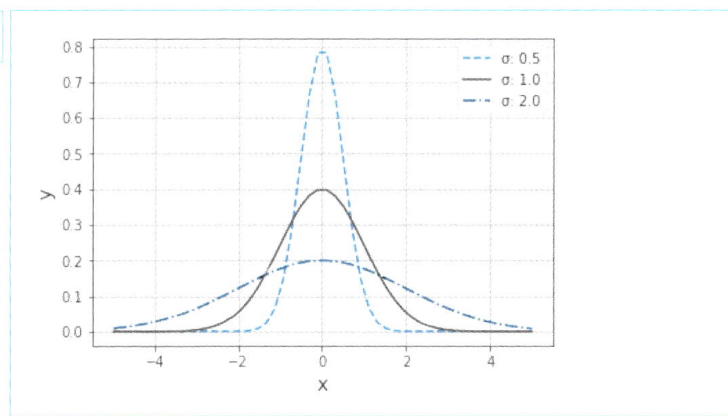

釣鐘状の正規分布のカーブが3通り描画されました。標準偏差が小さいと幅が狭くなり、大きいと幅が広くなります。

ATTENTION

グラフ

リスト6.12のグラフで、正規分布の曲線とx軸に挟まれた領域の面積は1になります。これは、確率の総和が1であることに対応します。

6-4-3 正規分布に従う乱数

NumPyの**random.normal()**関数を使って、正規分布に従う乱数を生成します。生成したデータは、matplotlibの**hist()**関数でヒストグラムとして表示します（リスト6.13）。

リスト6.13 正規分布に従う乱数のヒストグラム

In
```
import numpy as np
import matplotlib.pyplot as plt

# 正規分布に従う乱数を生成
s = np.random.normal(0, 1, 10000)  ➡
# 平均0、標準偏差1、10000個

# ヒストグラム
plt.hist(s, bins=25)  # binsは棒の数

plt.xlabel("x", size=14)
plt.grid()

plt.show()
```

Out

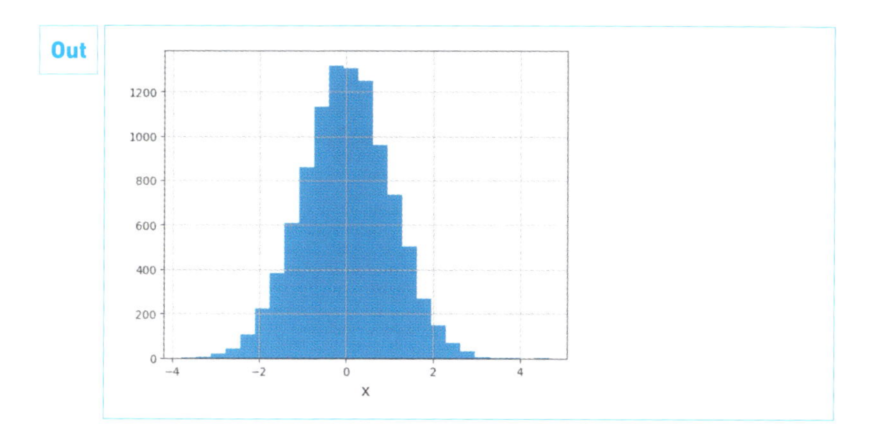

ヒストグラムは、確率密度関数と同じ形状の釣鐘状の分布になりました。

人工知能では非常に多くの変動するパラメータを扱いますが、これらのパラメータの初期値はしばしば正規分布に従ってランダムに決定されます。

6-4-4 べき乗則とは

べき乗則に従う分布は、正規分布と同様に自然や社会などの様々な現象によく当てはまります。正規分布よりも裾野が広く、株式市場の崩壊や大規模な自然災害のような、極端にまれな頻度の現象を扱うことができます。

べき乗則は、以下のような数式で表されます。cとkは定数です。

$$f(x) = cx^{-k} \quad \text{(式 1)}$$

上記の式において、$k = 1$のときは反比例の式になります。反比例のグラフのように裾野が広くなるのが特徴です。

リスト6.14のコードでは、(式 1) をグラフで描画します。

リスト6.14 べき乗則に従うカーブを描画する

In

```
import numpy as np
import matplotlib.pyplot as plt


def power_func(x, c, k):
    return c*x**(-k)  # (式1)
```

```
x =np.linspace(1, 5)
y_1 = power_func(x, 1.0, 1.0)  # c:1.0  k:1.5
y_2 = power_func(x, 1.0, 2.0)  # c:1.0  k:2.0
y_3 = power_func(x, 1.0, 4.0)  # c:1.0  k:4.0

plt.plot(x, y_1, label="k=1.0", linestyle="dashed")
plt.plot(x, y_2, label="k=2.0", linestyle="solid")
plt.plot(x, y_3, label="k=4.0", linestyle="dashdot")
plt.legend()

plt.xlabel("x", size=14)
plt.ylabel("y", size=14)
plt.grid()

plt.show()
```

Out

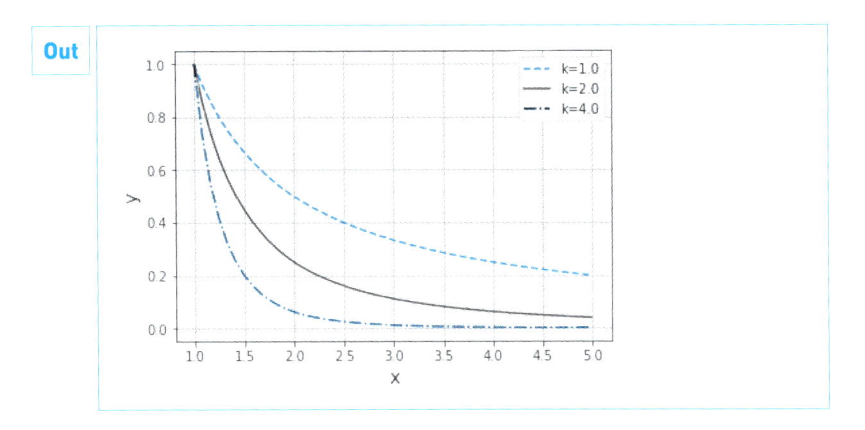

正規分布は、0を離れるとすぐに確率がほぼ0に落ち込みますが、べき乗則の場合はなかなか0に落ち込みません。この裾野の広さを利用して、確率的に滅多に起きない現象を取り扱うことができます。

6-4-5 べき乗則に従う乱数

べき乗則に従う分布に、**パレート分布**と呼ばれる分布があります。パレート分布の確率密度関数は以下の式で表されます。

$$f(x) = a\frac{m^a}{x^{a+1}}$$

ここで、mとaは定数です。

リスト6.15のコードは、NumPyの**random.pareto()**関数を使ってパレート分布に従う乱数を生成し、ヒストグラムとして表示します。

リスト6.15 パレート分布に従う乱数のヒストグラム

In

```
import numpy as np
import matplotlib.pyplot as plt

# パレート分布に従う乱数を生成
s = np.random.pareto(4, 1000)  # a=4、m=1、1000個

# ヒストグラム
plt.hist(s, bins=25)

plt.xlabel("x", size=14)
plt.grid()

plt.show()
```

Out

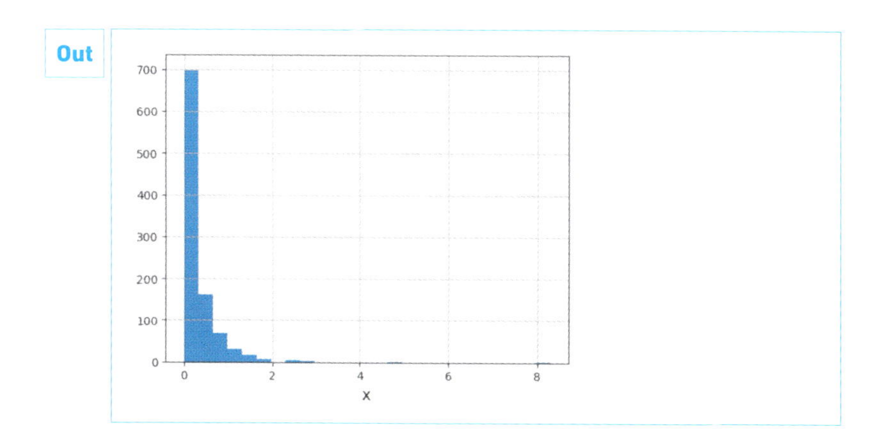

裾野が広がっており、xが大きいサンプルも低い頻度ながら得られていることがわかります。

現実のデータは、しばしばべき乗則に従っていることがあるので、人工知能で扱う際は注意が必要です。

6-4-6 演習

問題

リスト6.16を補完して平均値が0、標準偏差が1の正規分布に従う乱数を1000個作成し、ヒストグラムで分布を描画しましょう。

リスト6.16 問題

In
```
import numpy as np
import matplotlib.pyplot as plt

# 平均0、標準偏差1、の正規分布に従う乱数を1000個作る



# ヒストグラム
plt.hist(x, bins=25)
plt.show()
```

解答例

リスト6.17 解答例

In
```
import numpy as np
import matplotlib.pyplot as plt

# 平均0、標準偏差1、の正規分布に従う乱数を1000個作る
x = np.random.normal(0, 1, 1000)

# ヒストグラム
plt.hist(x, bins=25)
plt.show()
```

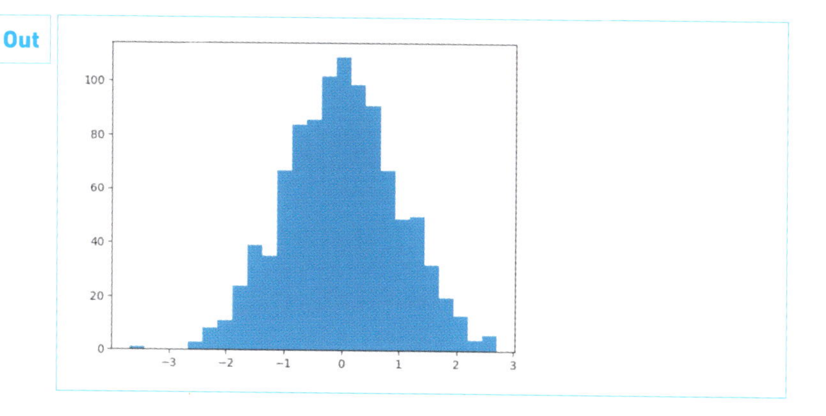

6.5 共分散

共分散は、2組のデータの関係性を表す数値です。人工知能に使用するデータの前処理などでよく使用されます。

6-5-1 共分散とは

以下のX、Y2組のデータを考えます。それぞれ、データの個数はnとします。

$$X = x_1, x_2, \cdots, x_n$$

$$Y = y_1, y_2, \cdots, y_n$$

これらのデータの共分散$Cov(X, Y)$は、以下の式で表されます。

$$Cov(X, Y) = \frac{1}{n}\sum_{k=1}^{n}(x_k - \mu_x)(y_k - \mu_y) \qquad \text{(式 1)}$$

ここで、μ_xはXの平均、μ_yはYの平均です。
共分散の意味は、次のようになります。

共分散が大きい（正）：Xが大きいとYも大きい、Xが小さいとYも小さい傾向がある
共分散が0に近い　：XとYにあまり関係はない

共分散が小さい（負）：Xが大きいとYは小さい、Xが小さいとYは大きい傾向がある

これだけだとわかりにくいので、例を挙げて考えてみましょう。

6-5-2 共分散の例

以下のXを5人の生徒の数学の点数、Yを同じ生徒たちの英語の点数とします。

$$X = 50, 70, 40, 60, 80$$

$$Y = 60, 80, 50, 50, 70$$

それぞれのデータの個数は5なので、XとYの平均値は以下の通りになります。

$$\mu_x = \frac{50 + 70 + 40 + 60 + 80}{5} = 60$$

$$\mu_y = \frac{60 + 80 + 50 + 50 + 70}{5} = 62$$

このとき、共分散は（式1）により以下の通りに求めることができます。

$$\begin{aligned} Cov(X, Y) &= \frac{\begin{array}{l}(50-60)(60-62)+(70-60)(80-62)\\+(40-60)(50-62)+(60-60)(50-62)\\+(80-60)(70-62)\end{array}}{5} \\ &= 120 \end{aligned}$$

以上により、このケースにおける共分散は、正の値である120となりました。これは、数学の点数が高いと英語の点数も高い傾向があることを意味します。

もう1つの例を考えます。以下のXを数学の点数、Zを国語の点数とします。

$$X = 50, 70, 40, 60, 80$$

$$Z = 60, 40, 60, 40, 30$$

それぞれのデータの個数は5なので、XとZの平均値は以下の通りになります。

$$\mu_x = \frac{50 + 70 + 40 + 60 + 80}{5} = 60$$

$$\mu_z = \frac{60 + 40 + 60 + 40 + 30}{5} = 46$$

このとき、共分散は（式1）により以下の通りに求めることができます。

$$\begin{aligned} Cov(X, Z) &= \frac{\begin{array}{l}(50-60)(60-46)+(70-60)(40-46)\\+(40-60)(60-46)+(60-60)(40-46)\\+(80-60)(30-46)\end{array}}{5} \\ &= -160 \end{aligned}$$

このケースにおける共分散は、負の値-160となりました。
これは、数学の点数が高いと国語の点数が低い傾向があることを意味します。
以上のように、共分散は2つのデータ間の関係を表す指標です。

6-5-3 共分散の実装

共分散を、NumPyの**average()**関数を使って求めます。また、グラフを使って2つのデータの関係を可視化します（リスト6.18）。

リスト6.18 共分散とデータの傾向

In

```
%matplotlib inline

import numpy as np
import matplotlib.pyplot as plt

x = np.array([50, 70, 40, 60, 80])  # 数学の点数
y = np.array([60, 80, 50, 50, 70])  # 英語の点数
z = np.array([60, 40, 60, 40, 30])  # 国語の点数

cov_xy = np.average((x-np.average(x))*(y-np.average(y)))
print("cov_xy", cov_xy)
```

```
cov_xz = np.average((x-np.average(x))*(z-np.average(z)))
print("cov_xz", cov_xz)

plt.scatter(x, y, marker="o", label="xy", s=40) ➡
# sはマーカーのサイズ
plt.scatter(x, z, marker="x", label="xz", s=60)
plt.legend()

plt.xlabel("x", size=14)
plt.ylabel("y or z", size=14)
plt.grid()

plt.show()
```

Out

```
cov_xy 120.0
cov_xz -160.0
```

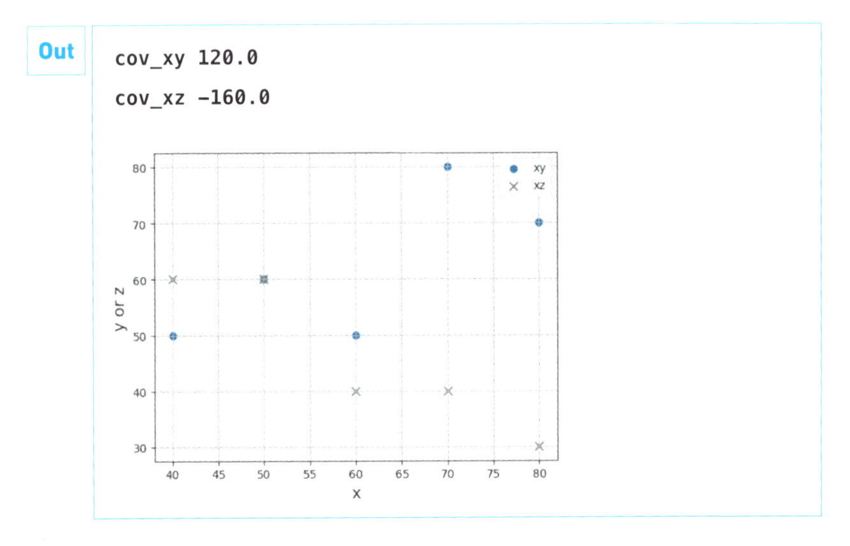

xと**y**のデータはともに増加する傾向がありますが、この場合共分散は正の大きな値になります。それに対して、**x**と**z**のデータは片方が増加するともう片方が減少する傾向があります。この場合、共分散は負の小さな値になります。

6-5-4 共分散からデータを生成する

random.multivariate_normal()関数は、共分散と正規分布を使って

データを生成します。平均値と共分散をもとに、ランダムにペアのデータを生成します。この関数では、共分散を行列で指定する必要があります。

リスト6.19のコードでは、様々な共分散の値でペアのデータを生成し、それを散布図で描画します。

リスト6.19 共分散からデータを生成する

In

```
import numpy as np
import matplotlib.pyplot as plt

def show_cov(cov):
    print("--- Covariance:", cov, " ---")
    average = np.array([0, 0])  # xとyのそれぞれの平均
    cov_matrix = np.array([[1, cov],  # 共分散を行列で指定
                           [cov, 1]])

    # 共分散からペアのデータを3000組生成。➡
dataは(3000, 2)の形状の行列になる
    data = np.random.multivariate_normal(average, ➡
cov_matrix, 3000)
    x = data[:, 0]  # 最初の列をx座標に
    y = data[:, 1]  # 次の列をy座標に

    plt.scatter(x, y, marker="x", s=20)

    plt.xlabel("x", size=14)
    plt.ylabel("y", size=14)
    plt.grid()

    plt.show()

show_cov(0.6)  # 共分散: 0.6
show_cov(0.0)  # 共分散: 0.0
show_cov(-0.6)  # 共分散: -0.6
```

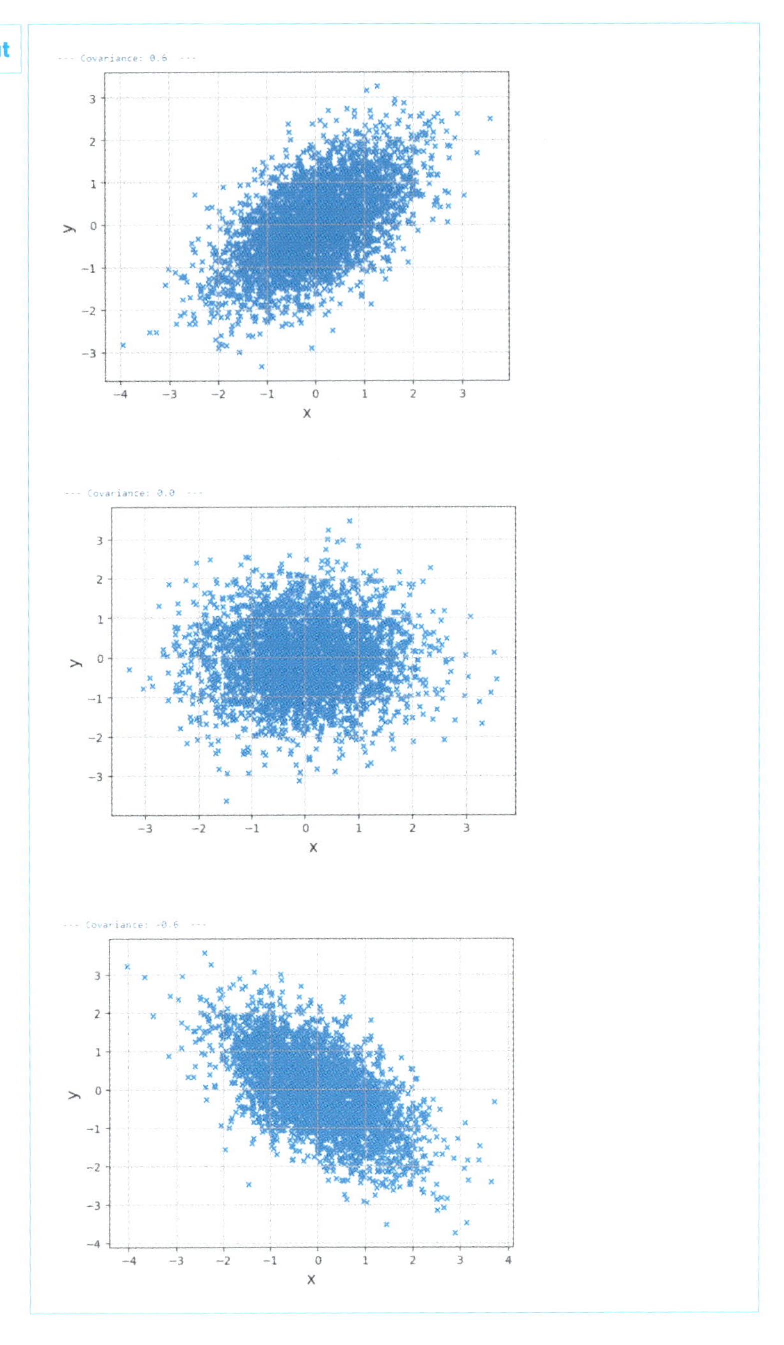

共分散の大小によって、xとyの関係が変化することを確認できます。

6-5-5 演習

問題

リスト6.20を補完し、世界史と日本史の点数の共分散を求めましょう。

リスト6.20 問題

In

```
import numpy as np
import matplotlib.pyplot as plt

x = np.array([30, 70, 40, 60, 90])  # 世界史の点数
y = np.array([20, 60, 50, 40, 80])  # 日本史の点数

cov_xy =      # （ここにコードを書く）共分散
print("cov_xy", cov_xy)

plt.scatter(x, y, marker="o", label="xy", s=40)
plt.legend()

plt.xlabel("x", size=14)
plt.ylabel("y", size=14)
plt.grid()

plt.show()
```

解答例

リスト6.21 解答例

In

```
import numpy as np
import matplotlib.pyplot as plt
```

```
x = np.array([30, 70, 40, 60, 90])  # 世界史の点数
y = np.array([20, 60, 50, 40, 80])  # 日本史の点数

cov_xy = np.average((x-np.average(x))*(y-np.average➡
(y)))  # (ここにコードを書く) 共分散
print("cov_xy", cov_xy)

plt.scatter(x, y, marker="o", label="xy", s=40)
plt.legend()

plt.xlabel("x", size=14)
plt.ylabel("y", size=14)
plt.grid()

plt.show()
```

```
cov_xy 380.0
```

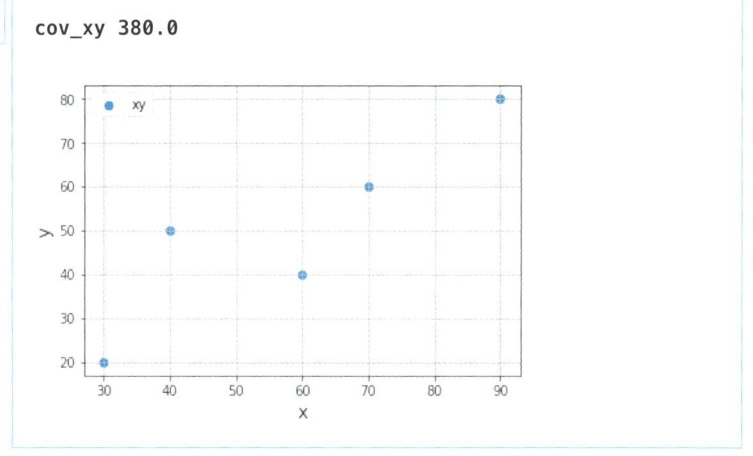

6.6 相関係数

相関係数は、2グループのデータの関係を表します。相関係数は、共分散よりも関係の大きさを比較しやすい指標です。

6-6-1 相関係数とは

以下のX、Y2組のデータを考えます。それぞれ、データの個数はnとします。

$$X = x_1, x_2, \cdots, x_n$$

$$Y = y_1, y_2, \cdots, y_n$$

これらのデータの相関係数ρは、XとYの共分散$Cov(X,Y)$およびXとYそれぞれの標準偏差σ_X、σ_Yを用いて次のように表されます。

$$\rho = \frac{Cov(X,Y)}{\sigma_X \sigma_Y} \quad \text{(式 1)}$$

このとき、相関係数ρは$-1 \leqq \rho \leqq 1$の値をとります。

相関係数は+1に近づくと正の相関が強く、Xが大きくなるとYが大きくなる傾向が強くなります。
相関係数が0の場合、XとYには関係がありません。
相関係数は-1に近づくと負の相関が強く、Xが大きくなるとYが小さくなる傾向が強くなります。

相関係数は共分散と似ていますが、どのようなケースでも範囲が$-1 \leqq \rho \leqq 1$に収まるため、関係の強さを比較しやすいのがメリットです。

6-6-2 相関係数の例

以下のXを数学の点数、Yを英語の点数とします。

$$X = 50, 70, 40, 60, 80$$

$$Y = 60, 80, 50, 50, 70$$

このとき、XとYの共分散、およびそれぞれの標準偏差は以下の通りに計算できます。

$$Cov(X, Y) = 120$$

$$\sigma_X = 14.14...$$

$$\sigma_Y = 11.66...$$

このとき、相関係数は（式1）により以下の通りに求めることができます。

$$\begin{aligned}\rho &= \frac{Cov(X, Y)}{\sigma_X \sigma_Y} \\ &= \frac{120}{14.14... \times 11.66...} \\ &= 0.7276...\end{aligned}$$

以上により、このケースにおける相関係数は、正の値の約0.728となりました。

これは正の相関であり、数学の点数が高いと英語の点数も高い傾向があることを意味します。

もう1つの例を考えます。以下のXを数学の点数、Zを国語の点数とします。

$$X = 50, 70, 40, 60, 80$$

$$Z = 60, 40, 60, 40, 30$$

このとき、XとZの共分散、およびそれぞれの標準偏差は以下の通りに求まります。

$$Cov(X, Z) = -160$$

$$\sigma_X = 14.14...$$

$$\sigma_Z = 12.0$$

このとき、相関係数は（式1）により以下の通りに求めることができます。

$$\begin{aligned}\rho &= \frac{Cov(X, Z)}{\sigma_X \sigma_Z} \\ &= \frac{-160}{14.14... \times 12.0} \\ &= -0.9428...\end{aligned}$$

このケースにおける相関係数は、負の値の約-0.943となりました。

これは強い負の相関であり、数学の点数が高いと国語の点数が大きく下がる傾向があることを意味します。

以上のように、相関係数はどのようなケースであっても2つのデータの関係の強さを$-1 \leqq \rho \leqq 1$で表すことができます。

6-6-3 Pythonで相関係数を求める

相関係数は、NumPyの**corrcoef()**関数を用いて実装することができます。共分散と標準偏差を使って計算した値と比較してみましょう（リスト6.22）。

リスト6.22 corrcoef()関数を使って相関係数を計算する

In

```
%matplotlib inline

import numpy as np
import matplotlib.pyplot as plt

x = np.array([50, 70, 40, 60, 80])  # 数学の点数
y = np.array([60, 80, 50, 50, 70])  # 英語の点数

print("--- corrcoef()関数を使用 ---")
print(np.corrcoef(x, y))  # 相関係数

print()

print("--- 共分散と標準偏差から求める ---")
cov_xy = np.average((x-np.average(x))*(y-np.average➡
(y)))  # 共分散
print(cov_xy/(np.std(x)*np.std(y)))  # （式 1）

plt.scatter(x, y)

plt.xlabel("x", size=14)
plt.ylabel("y", size=14)
plt.grid()
```

```
plt.show()
```

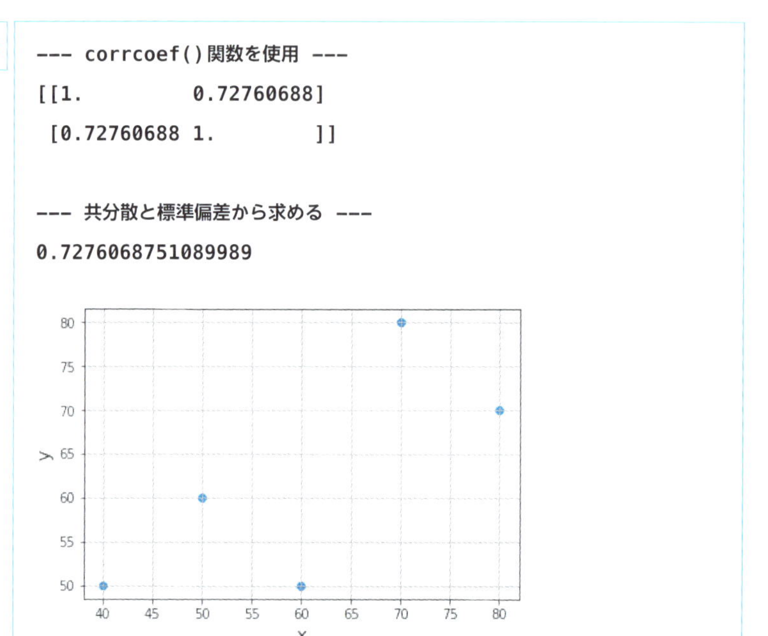

corrcoef()関数を使った場合、結果は2×2の行列として得られますが、右上と左下が相関係数になります。共分散と標準偏差から求めた相関係数と一致していることが確認できます。

6-6-4 演習

問題

リスト6.23を補完し、NumPyの**corrcoef()**関数を用いて相関係数を求めましょう。

また、共分散と標準偏差を使って相関係数を求め、前者と比較してみましょう。

リスト6.23 問題

In

```
import numpy as np
import matplotlib.pyplot as plt

x = np.array([30, 70, 40, 60, 90])  # 世界史の点数
y = np.array([20, 60, 50, 40, 80])  # 日本史の点数

# ここで、corrcoef()関数で相関係数を求めて表示
print("--- corrcoef()関数を使用 ---")



print()

# 共分散と標準偏差から相関係数を求めて表示
print("--- 共分散と標準偏差から求める ---")




plt.scatter(x, y)

plt.xlabel("x", size=14)
plt.ylabel("y", size=14)
plt.grid()

plt.show()
```

解答例

リスト6.24 解答例

In

```
import numpy as np
import matplotlib.pyplot as plt
```

```
x = np.array([30, 70, 40, 60, 90])  # 世界史の点数
y = np.array([20, 60, 50, 40, 80])  # 日本史の点数

# ここで、corrcoef()関数で相関係数を求めて表示
print("--- corrcoef()関数を使用 ---")
print(np.corrcoef(x, y))

print()

# 共分散と標準偏差から相関係数を求めて表示
print("--- 共分散と標準偏差から求める ---")
cov_xy = np.average((x-np.average(x))*(y-np.average(y)))
print(cov_xy/(np.std(x)*np.std(y)))

plt.scatter(x, y)

plt.xlabel("x", size=14)
plt.ylabel("y", size=14)
plt.grid()

plt.show()
```

Out

```
--- corrcoef()関数を使用 ---
[[1.         0.88975652]
 [0.88975652 1.        ]]

--- 共分散と標準偏差から求める ---
0.8897565210026094
```

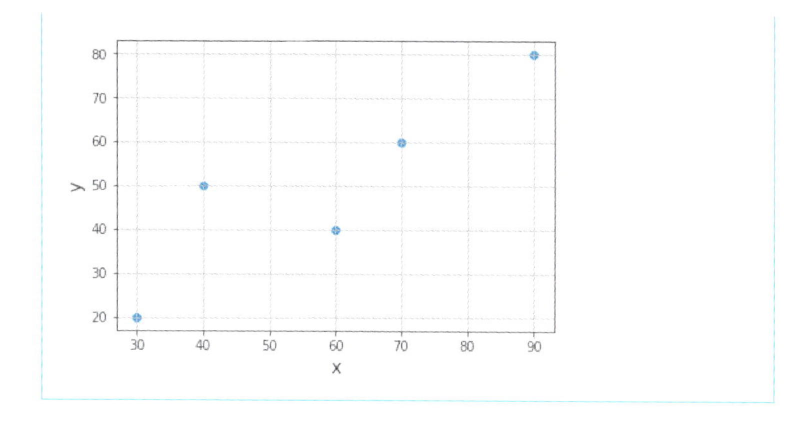

6.7 条件付き確率とベイズの定理

ベイズの定理は、人工知能だけではなく様々な分野で利用される有用な概念です。この節では、条件付き確率を解説した上で、ベイズの定理を学んでいきます。

6-7-1 条件付き確率とは

条件付き確率とは、あるできごとBが起きたという条件のもとで別のできごとAが起きる確率のことをいいます。

条件付き確率は、次のように表されます。

$$P(A|B)$$

この値は、Bが起きたときのAの確率を表します。

条件付き確率は次の式で求めることができます。

$$P(A|B) = \frac{P(A \cap B)}{P(B)} \quad \text{(式 1)}$$

$P(B)$はできごとBが起きる確率です。

$P(A \cap B)$は、AとBが同時に起きる確率です。Bのうち、Aが起きたものの割合と考えることができます。

AとB、$A \cap B$の関係を図で表すと 図6.2 の通りです。

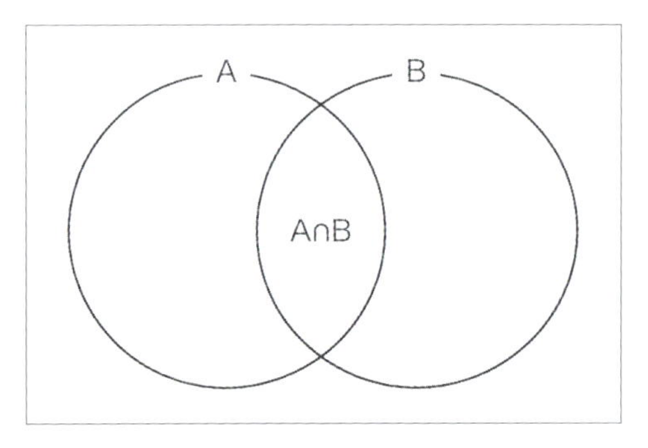

図6.2 AとB、$A \cap B$の関係

AとBが重複した領域、すなわちできごとAとできごとBがともに起きる領域が、$A \cap B$です。（式 1）の条件付き確率は、図6.2の領域Bの中の、領域$A \cap B$の割合と考えることができます。

6-7-2 条件付き確率の例

例6.1のケースで条件付き確率を解説します。

例6.1

袋の中に白い球と黒い球が5つずつ入っています。

白い球のうち3つには0という数字が、2つには1という数字が書かれています。

黒い球のうち2つには0という数字が、3つには1という数字が書かれています。

この袋から球を1つ取り出したら、白い球でした。

この白い球の番号が0である確率を求めましょう。この場合、球の色は既に白とわかっているので、このことを考慮する必要があります。

$P(A|B)$において、AとBを次のように設定します。

A：番号が0である
B：白い球である

ここで、先ほどの（式 1）により条件付き確率を求めます。

$$P(A|B) = \frac{P(A \cap B)}{P(B)}$$

右辺における$P(B)$は、白い球である確率なので次のように簡単に求めることができます。

$$P(B) = \frac{5}{10} = \frac{1}{2}$$

また、$P(A \cap B)$は袋の中に10個の球があり、白くて番号が0の球は3個なので次のようにして求めることができます。

$$P(A \cap B) = \frac{3}{10}$$

従って、条件付き確率は（式 1）を使って次のように求めることができます。

$$P(A|B) = \frac{P(A \cap B)}{P(B)} = \frac{\frac{3}{10}}{\frac{1}{2}} = \frac{3}{5}$$

取り出した球が白である場合、その番号が0である確率は$\frac{3}{5}$、すなわち60%となりました。

ここではシンプルなケースを扱いましたが、より複雑な条件では条件付き確率の式がとても役に立ちます。

ATTENTION

確率

$\frac{3}{5}$という確率は条件付き確率を使わなくても直感的に明らかかもしれませんが、今回はあえて条件付き確率の式を使って厳密に確率を求めました。

6-7-3 ベイズの定理とは

ベイズの定理は次の式で表されます。

$$P(B|A) = \frac{P(A|B)P(B)}{P(A)} \qquad \text{（式 2）}$$

条件付き確率$P(B|A)$を求めるのに、$P(A|B)$と$P(A)$、$P(B)$を使います。Bが起きる確率$P(B)$は**事前確率**と呼ばれ、Aが起きたという条件のもとでBが起きる確率$P(B|A)$は**事後確率**と呼ばれます。(式 2) のベイズの定理は、事前確率を事後確率に変換する式と考えることもできます。

特に、$P(A|B)$は簡単に求めることができるけれど$P(B|A)$を求めることができない場合、ベイズの定理が役に立ちます。

ベイズの定理は、条件付き確率の式から導くことができます。

(式 1) のAとBを入れ替えた式を以下のように考えます。

$$P(B|A) = \frac{P(B \cap A)}{P(A)} \qquad \text{(式 3)}$$

$P(A \cap B)$はAとBが同時に起きる確率なので、以下の関係が成り立ちます。

$$P(A \cap B) = P(B \cap A)$$

従って、(式 3) の両辺を (式 1) で割ると以下のようにベイズの定理を導くことができます。

$$\frac{P(B|A)}{P(A|B)} = \frac{P(B)}{P(A)}$$

$$P(B|A) = \frac{P(A|B)P(B)}{P(A)}$$

6-7-4 ベイズの定理の活用例

日本人の0.01%が罹患する、ある病気を考えましょう。

検査により、実際に病気に罹患している人が陽性と判定される確率が98%とします。

また、罹患していない人が陰性と判定される確率は90%とします。

ある人が検査により陽性と判定された場合、実際に罹患している可能性は何%でしょうか。

検査で陽性であることをA_1、陰性であることをA_2とします。

このとき、

$$P(A_2) = 1 - P(A_1)$$

という関係が成り立ちます。

また、実際に罹患していることをB_1、罹患していないことをB_2とします。

このとき、

$$P(B_2) = 1 - P(B_1)$$

という関係が成り立ちます。

以上を踏まえて、(式 2) のベイズの定理を次のように使うことができます。

$$P(B_1|A_1) = \frac{P(A_1|B_1)P(B_1)}{P(A_1)}$$

$P(B_1|A_1)$が、陽性と判定されたとき実際に罹患している確率です。

右辺を求めていきましょう。

$P(A_1|B_1)$は罹患している人が陽性と判定される確率なので、問題の前提から次のようになります。

$$P(A_1|B_1) = 0.98$$

また、$P(B_1)$は病気に罹患している確率なので、問題の前提から次のようになります。

$$P(B_1) = 0.0001$$

$P(A_1)$ですが、陽性と判定される確率なので、罹患していて陽性と判定される確率と罹患していなくて陽性と判定される確率の和で求めることができます。

$$\begin{aligned}P(A_1) &= P(B_1)P(A_1|B_1) + P(B_2)P(A_1|B_2) \\ &= 0.0001 \times 0.98 + (1 - 0.0001) \times (1 - 0.9) = 0.100088\end{aligned}$$

上記で、$P(A_1|B_2)$は罹患していない人が陽性と判定される確率として求めました。従って、陽性と判定された場合、実際に罹患している確率は次のように求めることができます。

$$P(B_1|A_1) = \frac{P(A_1|B_1)P(B_1)}{P(A_1)} = \frac{0.98 \times 0.0001}{0.100088} \fallingdotseq 0.00097914$$

検査に陽性であっても実際に病気である確率は0.1%程度のようです。

この病気で陽性と判定されても、あまり気に病む必要はなさそうですね。

このベイズの定理を用いたベイズ推定により不確実なできごとを予測することができるのですが、これは迷惑メールのフィルタやニュース記事のカテゴリ分類などに活用されています。

人工知能では、ベイズ推定によりパラメータの推定を行うことがあります。

6-7-5 演習

問題

例6.2

袋の中に白い球と黒い球が3つずつ入っています。

白い球のうち2つには0という数字が、1つには1という数字が書かれています。

黒い球のうち1つには0という数字が、2つには1という数字が書かれています。

この袋から球を1つ取り出したら、白い球でした。

この球の番号が0である確率を求めましょう。答えは紙に書いても、Jupyter NotebookのセルにLaTeXで書いてもかまいません。

解答例

$P(A|B)$において、AとBを次のように設定します。

A：番号が0である

B：白い球である

ここで、以下の（式1）により条件付き確率を求めます。

$$P(A|B) = \frac{P(A \cap B)}{P(B)}$$

右辺における$P(B)$は、白い球である確率なので次のように計算されます。

$$P(B) = \frac{3}{6} = \frac{1}{2}$$

また、$P(A \cap B)$は袋の中に6個の球があり、白くて番号が0の球は2個なので次のように計算されます。

$$P(A \cap B) = \frac{2}{6} = \frac{1}{3}$$

従って、条件付き確率$P(A|B)$は次のように求めることができます。

$$P(A|B) = \frac{P(A \cap B)}{P(B)} = \frac{\frac{1}{3}}{\frac{1}{2}} = \frac{2}{3}$$

6.8 尤度

尤度（ゆうど）は、データの尤も（もっとも）らしさを表すのに使います。

6-8-1 尤度とは

以下のn個からなるデータを考えます。

$$x_1, x_2, \cdots, x_n$$

これらの値が生じる確率を次のように表します。

$$p(x_1), p(x_2), \cdots, p(x_n)$$

このとき、**尤度**は次の通りに表されます。

$$p(x_1)p(x_2)\cdots p(x_n) = \prod_{k=1}^{n} p(x_k)$$

上記の通り、尤度はすべての確率の積になります。

ここで、確率密度関数を復習しましょう。正規分布に従う確率は、以下の確率密度関数で表されます。μは平均値で、σは標準偏差です。

$$p(x) = \frac{1}{\sigma\sqrt{2\pi}} \exp\left(-\frac{(x-\mu)^2}{2\sigma^2}\right)$$

データがある平均値と標準偏差の正規分布に従うとした場合、この確率密度関数を使って尤度を次のように表すことができます。

$$\begin{aligned} L &= \prod_{k=1}^{n} p(x_k) = \left(\frac{1}{\sigma\sqrt{2\pi}}\right)^n \prod_{k=1}^{n} \exp\left(-\frac{(x_k-\mu)^2}{2\sigma^2}\right) \\ &= \left(\frac{1}{\sigma\sqrt{2\pi}}\right)^n \exp\left(-\sum_{k=1}^{n} \frac{(x_k-\mu)^2}{2\sigma^2}\right) \end{aligned} \quad \text{(式 1)}$$

尤度は確率の積であるため、このままでは0に限りなく近い値になってしまいます。また、式が積の形であるため微分で扱いにくいという問題もあります。そこで、尤度はしばしば対数の形で扱われます。対数であれば、値の上下に関して傾向は変わりません。

このような対数尤度は、正規分布を想定する場合、以下の式で表されます。

$$\log L = \sum_{k=1}^{n} \log p(x_k) = n \log\left(\frac{1}{\sigma\sqrt{2\pi}}\right) - \sum_{k=1}^{n} \frac{(x_k-\mu)^2}{2\sigma^2} \quad \text{(式 2)}$$

以上が尤度の意味ですが、以降コードの実行結果とともに解説していきます。

6-8-2 尤度が小さいケース

リスト6.25のコードは、データと正規分布の確率密度関数を重ねて描画します。確率密度関数の平均値は0、標準偏差は1とします。そして、データがこの確率密度関数に従うとした場合の尤度、および対数尤度を求めて表示します。

リスト6.25 尤度が小さい場合の、データと確率密度関数

In

```
%matplotlib inline

import numpy as np
import matplotlib.pyplot as plt
```

```
x_data = np.array([2.4, 1.2, 3.5, 2.1, 4.7])  # データ

y_data = np.zeros(5) ➡
# x_dataを散布図で表示するための便宜的なデータ

mu = 0      # 平均値
sigma = 1  # 標準偏差

def pdf(x, mu, sigma):
    return 1/(sigma*np.sqrt(2*np.pi))*np.exp(-(x-mu)➡
**2 / (2*sigma**2))  # 確率密度関数

x_pdf = np.linspace(-5, 5)
y_pdf = pdf(x_pdf, mu, sigma)

plt.scatter(x_data, y_data)
plt.plot(x_pdf, y_pdf)

plt.xlabel("x", size=14)
plt.ylabel("y", size=14)
plt.grid()

plt.show()

print("--- 尤度 ----")
print(np.prod(pdf(x_data, mu, sigma))) ➡
# 式 (1) により尤度を計算

print("--- 対数尤度 ----")
print(np.sum(np.log(pdf(x_data, mu, sigma)))) ➡
# 式 (2) により対数尤度を計算
```

Out

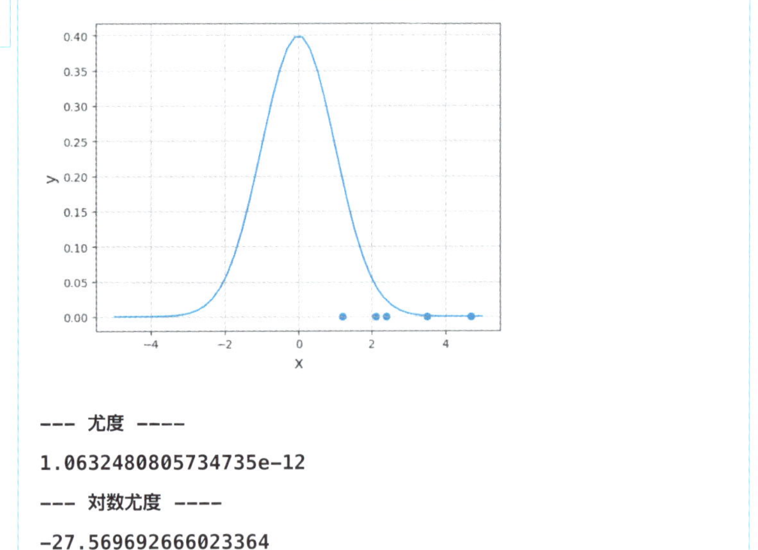


```
--- 尤度 ----
1.0632480805734735e-12
--- 対数尤度 ----
-27.569692666023364
```

データが確率密度関数から外れていますね。このような正規分布を想定する場合、これらのデータはあまりもっともらしくありません。実際に、尤度と対数尤度は小さい値になりました。

6-8-3 尤度が大きいケース

次に、確率密度関数の標準偏差と平均値を変更します。**x_data**から標準偏差と平均値を計算し、これらを使用します（リスト6.26）。

リスト6.26 尤度が大きい場合の、データと確率密度関数

In

```
import numpy as np
import matplotlib.pyplot as plt

x_data = np.array([2.4, 1.2, 3.5, 2.1, 4.7])  # データ
y_data = np.zeros(5)

mu = np.average(x_data)   # データの平均値
sigma = np.std(x_data)    # データの標準偏差
```

6

確率・統計

```
def pdf(x, mu, sigma):
    return 1/(sigma*np.sqrt(2*np.pi))*np.exp(-(x-mu)➡
**2 / (2*sigma**2))  # 確率密度関数

x_pdf = np.linspace(-3, 7)
y_pdf = pdf(x_pdf, mu, sigma)

plt.scatter(x_data, y_data)
plt.plot(x_pdf, y_pdf)

plt.xlabel("x", size=14)
plt.ylabel("y", size=14)
plt.grid()

plt.show()

print("--- 尤度 ----")
print(np.prod(pdf(x_data, mu, sigma)))  ➡
# 式（1）により尤度を計算

print("--- 対数尤度 ----")
print(np.sum(np.log(pdf(x_data, mu, sigma))))  ➡
# 式（2）により対数尤度を計算
```

Out

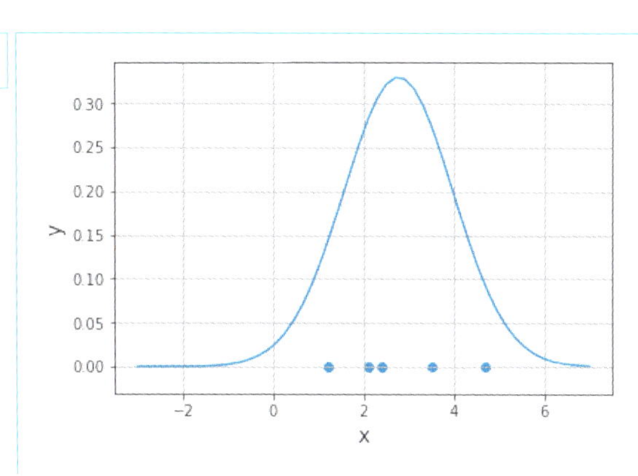

```
--- 尤度 ----
0.0003211757807192693
--- 対数尤度 ----
-8.043521981227514
```

正規分布のカーブがデータの広がり具合にフィットしていますね。このような確率密度関数を仮定する場合、これらのデータはもっともらしく見えます。

実際に、今回の尤度と対数尤度は、先ほどよりも大幅に大きくなりました。

以上のように、尤度は正規分布などの確率分布を想定した際の、データのもっともらしさを表します。正規分布を想定する場合、確率密度関数にデータの標準偏差と平均値を使うと尤度は最大になりますが、データから尤度が最大になる確率分布のパラメータを求めることを**最尤推定**といいます。

6-8-4 尤度とパラメータ

偏微分により最尤推定を行うこともできますが、ここではグラフを使って正規分布を想定した際の尤度の最大値を確認します。リスト6.27のコードでは、平均値を固定した上で、標準偏差を変更した際の尤度の変化をグラフに表示します。

リスト6.27 横軸が標準偏差で縦軸が対数尤度のグラフ。点線はデータの標準偏差を表す

In

```
import numpy as np
import matplotlib.pyplot as plt

x_data = np.array([2.4, 1.2, 3.5, 2.1, 4.7])  # データ

mu = np.average(x_data)  # データの平均値
sigma = np.std(x_data)   # データの標準偏差

def pdf(x, mu, sigma):
    return 1/(sigma*np.sqrt(2*np.pi))*np.exp(-(x-mu)➡
**2 / (2*sigma**2))  # 確率密度関数

def log_likelihood(p):
    return np.sum(np.log(p))  # 対数尤度
```

```
x_sigma = np.linspace(0.5, 8)    # 横軸に使う標準偏差
y_loglike = []  # 縦軸に使う対数尤度
for s in x_sigma:
    log_like = log_likelihood(pdf(x_data, mu, s))
    y_loglike.append(log_like)  # 対数尤度を縦軸に追加

plt.plot(x_sigma, np.array(y_loglike))
plt.plot([sigma, sigma], [min(y_loglike), ➡
max(y_loglike)], linestyle="dashed")  ➡
# データの標準偏差の位置に縦線を引く

plt.xlabel("x_sigma", size=14)
plt.ylabel("y_loglike", size=14)
plt.grid()

plt.show()
```

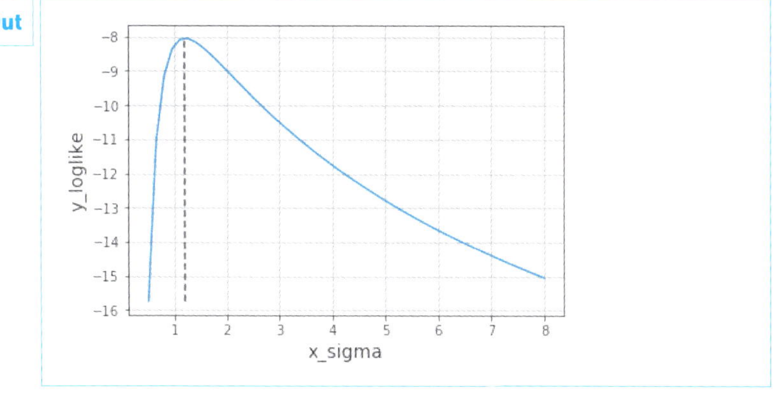

正規分布の標準偏差により対数尤度が滑らかに変化する様子を見ることができます。点線はデータの標準偏差を表しますが、このとき縦軸の対数尤度は最大になっていることが確認できます。そして、対数尤度が最大であることは、尤度が最大であることを意味します。

以上のような最尤推定により、データから最も妥当性の高い確率分布を推定することができます。

6.8.5 演習

問題

リスト6.28を補完し、平均値が4.0、標準偏差が0.8の正規分布を想定した際の、データの尤度と対数尤度を計算しましょう。

リスト6.28 問題

In
```
import numpy as np
import matplotlib.pyplot as plt

x_data = np.array([2.4, 1.2, 3.5, 2.1, 4.7])  # データ
y_data = np.zeros(5)

mu = 4.0  # 平均値
sigma = 0.8  # 標準偏差

def pdf(x, mu, sigma):
    return 1/(sigma*np.sqrt(2*np.pi))*np.exp(-(x-mu)➡
**2 / (2*sigma**2))  # 確率密度関数

x_pdf = np.linspace(-1, 9)
y_pdf = pdf(x_pdf, mu, sigma)

plt.scatter(x_data, y_data)
plt.plot(x_pdf, y_pdf)

plt.xlabel("x", size=14)
plt.ylabel("y", size=14)
plt.grid()

plt.show()

print("--- 尤度 ----")
```

```
    # ここで尤度を計算

print("--- 対数尤度 ----")
    # ここで対数尤度を計算
```

解答例

リスト6.29 解答例

In

```
import numpy as np
import matplotlib.pyplot as plt

x_data = np.array([2.4, 1.2, 3.5, 2.1, 4.7])  # データ
y_data = np.zeros(5)

mu = 4.0  # 平均値
sigma = 0.8  # 標準偏差

def pdf(x, mu, sigma):
    return 1/(sigma*np.sqrt(2*np.pi))*np.exp(-(x-mu)➡
**2 / (2*sigma**2))  # 確率密度関数

x_pdf = np.linspace(-1, 9)
y_pdf = pdf(x_pdf, mu, sigma)

plt.scatter(x_data, y_data)
plt.plot(x_pdf, y_pdf)

plt.xlabel("x", size=14)
plt.ylabel("y", size=14)
plt.grid()

plt.show()
```

```
print("--- 尤度 ----")
print(np.prod(pdf(x_data, mu, sigma)))   # ここで尤度を計算

print("--- 対数尤度 ----")
print(np.sum(np.log(pdf(x_data, mu, sigma)))) ➡
# ここで対数尤度を計算
```

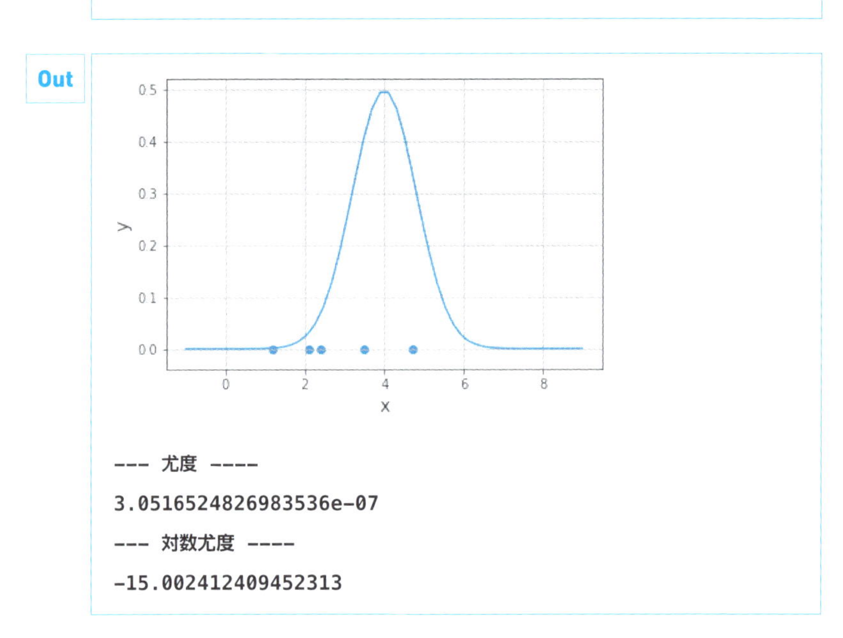

6.9 情報量

情報量は、あるできごとがどの程度の情報を持つかを表す尺度です。

6-9-1 情報量とは

情報量とは、「情報理論」において情報を定量的に扱うために定義された概念です。それぞれのできごとの情報量だけでなく、できごとの情報量の平均値も情報量と呼ぶことがあります。前者を**選択情報量（自己エントロピー）**、後者を**平均情報量（エントロピー）**と呼びます。これらに加えて、本節では**交差エントロピー**という機械学習で誤差を表すためによく使われる概念も解説します。

> **ATTENTION**
>
> **エントロピー**
>
> エントロピーは、もともと物理学の分野である熱力学や統計力学における概念です。情報理論において統計物理学で扱われるエントロピーと数学的にほぼ同じ計算式が現れたため、それを「エントロピー」と呼ぶようになりました。

6-9-2 選択情報量（自己エントロピー）

あるできごとEが起こる確率を$P(E)$とすると、このときの選択情報量$I(E)$は次の式で表されます。

$$I(E) = -\log_2 P(E)$$

このように、選択情報量は確率の対数を負にしたものとして表されます。対数の底には2を使うことが多いですが、底には何を選んでも本質的に違いはありません。

例えば両面が表の特殊なコインを投げる場合、「表の面が上になる」というできごとが起きる確率は1なので、選択情報量は$-\log_2 1$で0となります。

通常の、片面が表で片面が裏のコインを投げる場合「表の面が上になる」というできごとが起きる確率は1/2なので、選択情報量は$-\log_2 \frac{1}{2}$で1となります。

このように、できごとの確率が小さい（珍しい）ほど選択情報量は大きくなります。

選択情報量はあるできごとがどれほど起こりにくいかを表す尺度ですが、有用性を表す尺度ではありません。例えば、1/100で当たるルーレットの賞金が1億円であっても100円であっても、当たることの選択情報量に違いはありません。

6-9-3 選択情報量をグラフ化

選択情報量のイメージを把握するために、横軸を確率、縦軸を選択情報量としたグラフを描画します。底が2の対数は、NumPyの**log2()**関数で計算できます（リスト6.30）。

リスト6.30 確率と選択情報量

In

```
%matplotlib inline

import numpy as np
import matplotlib.pyplot as plt

x = np.linspace(0.01, 1)  # 0の対数はとれないので0.01に
y = -np.log2(x)  # 選択情報量

plt.plot(x, y)

plt.xlabel("x", size=14)
plt.ylabel("y", size=14)
plt.grid()

plt.show()
```

Out

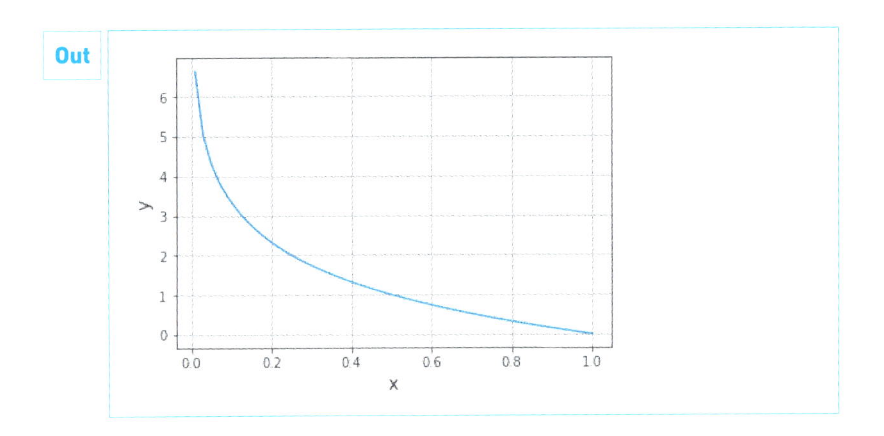

確率の上昇に伴い、選択情報量は単調に減少しています。確率が1になると、選択情報量は0になります。また、確率が0に近づくと選択情報量が無限に増えていきます。選択情報量ができごとの起こりにくさを表す尺度であることがわかります。

また、選択情報量には「和をとれる」という性質があります。トランプの例を考えてみましょう。

ジョーカー抜きの52枚から、スペードの1を引く確率は、1/52です。従って、選択情報量は$-\log_2 \frac{1}{52} = \log_2 52$となります。このとき、$-\log \frac{1}{a} = \log a$という関係を使っています。

また、スペードを引く確率は1/4なので、選択情報量は$-\log_2 \frac{1}{4} = \log_2 4$となります。1を引く確率は1/13なので、選択情報量は$-\log_2 \frac{1}{13} = \log_2 13$となります。

$\log_c a + \log_c b = \log_c ab$の関係により、

$$\log_2 4 + \log_2 13 = \log_2 52$$

となって、「スペードを引く」の選択情報量と「1を引く」の選択情報量の和は、「スペードの1を引く」の選択情報量と等しくなります。

このように、選択情報量には和をとれるという便利な性質があります。

6-9-4 平均情報量（エントロピー）

平均情報量は単に**エントロピー**とも、あるいは**シャノン情報量**とも呼ばれます。平均情報量Hは、次の式で定義されます。

$$H = -\sum_{k=1}^{n} P(E_k) \log_2 P(E_k)$$

ここで、nはできごとの総数で、E_kは各できごとを表します。選択情報量に、確率を掛けて総和をとったものになっています。

6-9-5 平均情報量の意味

コイン投げの例を考えましょう。あるコインの表が出る確率がP、裏が出る確率を$1-P$とします。このとき、平均情報量は上記の式に基づき次のように求めることができます。

$$H = -P \log_2 P - (1-P) \log_2 (1-P)$$

これをグラフで描画しましょう。リスト6.31のコードは、横軸を確率、縦軸を平均情報量としてグラフを描画します。

リスト6.31 確率と平均情報量のグラフ

In

```
import numpy as np
import matplotlib.pyplot as plt

x = np.linspace(0.01, 0.99) ➡
# 0の対数はとれないので0.01から0.99の範囲に
y = -x*np.log2(x) - (1-x)*np.log2(1-x)  # 平均情報量

plt.plot(x, y)

plt.xlabel("x", size=14)
plt.ylabel("y", size=14)
plt.grid()

plt.show()
```

Out

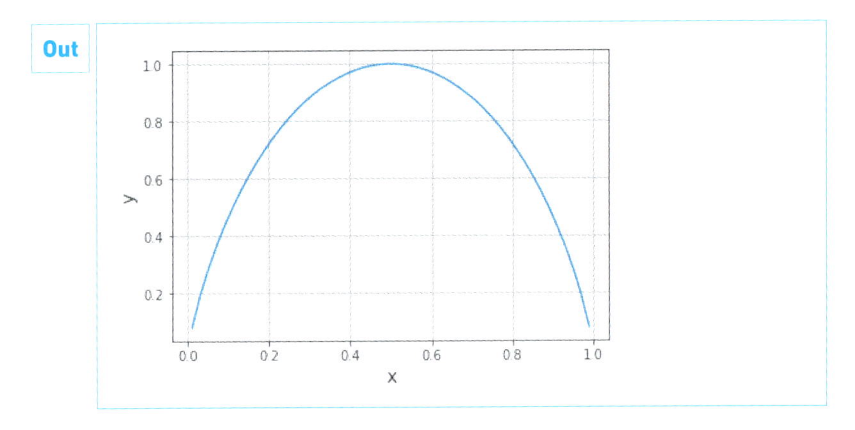

このグラフでは、平均情報量はコインの表が出る確率が0と1に近づくとき0に近くなり、0.5で最大値の1になりました。

このように、平均情報量は結果の予測がしにくいときに大きく、予測がしやすいときに小さくなります。すなわち、あるできごとの発生確率がすべて同じとき、すなわち何が起こるか予測がつかないときに最大になります。発生確率の偏りが大きいほど平均情報量は小さくなる、と表現することも可能です。平均情報量は、情報の無秩序さや不確実さを表す尺度でもあります。

6-9-6 交差エントロピー

交差エントロピー（クロスエントロピー）は、確率分布がどれだけあるべき値と離れているかを表す尺度です。以下、その考え方を示していきます。

起きるか、起きないかの2通りの場合

できごとが起きる確率をPとすると、そのできごとが起きない確率は$1-P$で表されます。

このとき、「0か1のどちらかしかとらない」変数tを使って、両者をまとめて次のような確率で表すことができます。

$$P^t(1-P)^{1-t}$$

$t=0$のとき上記の式は$1-P$となり、できごとが起きない確率を表します。また、$t=1$のとき上記の式はPとなり、できごとが起きる確率を表します。

ここで、前節で解説した尤度を導入します。別個のできごとがn個存在する場合の尤度は、次のようになります。

$$L=\prod_{k=1}^{n} P_k^{t_k}(1-P_k)^{1-t_k} \tag{式 1}$$

ここで、P_kはできごとが起きる確率を、t_kは実際にできごとが起きたかどうかを表すとします。すると、(式 1) の値は現実が確率で予測された通りであった場合に大きくなります。すなわち、(式 1) は確率分布がどれだけ妥当かを表すことになります。

しかしながら、(式 1) はそのままでは積の形なので微分で扱うのが困難です。また、多くの確率の積をとるので0にとても近い値になってしまいます。そこで、これをlogを使って対数の形にします。そして、最急降下法などで最適化できるように、正負の符号を反転します。すると、(式 1) は次の形になります。

$$\begin{aligned} E &= -\log L = -\log \prod_{k=1}^{n} P_k^{t_k}(1-P_k)^{1-t_k} \\ &= -\sum_{k=1}^{n}\Bigl(t_k \log P_k + (1-t_k)\log(1-P_k)\Bigr) \end{aligned} \tag{式 2}$$

(式 2) のEを、交差エントロピーと呼びます。この交差エントロピーを最小

化することは、（式 1）の尤度を最大化することに等しいです。すなわち、交差エントロピーが小さければ、確率分布が妥当であることになります。

人工知能の一種、ニューラルネットワークで対象を2つのグループに分類する場合、この交差エントロピーを最小にするように学習が行われることが多いです。

どれか1つが起きる場合

次に、起きるか起きないかの2通りではなく、m個のできごとのうちどれか1つが起きる場合の交差エントロピーを考えます。

すなわち、P_jをできごとが起きる確率として、

$$\sum_{j=1}^{m} P_j = 1$$

となる場合です。

この場合の、あるできごとが起きる確率は次のように一般化することができます。

$$\prod_{j=1}^{m} P_j^{t_j}$$

上記の式では、$t_1, t_2, \cdots, t_m$のうち1つだけが1で、残りは0です。

この場合の尤度ですが、上記がn回起きる場合は以下のように表されます。

$$L = \prod_{k=1}^{n} \prod_{j=1}^{m} P_{kj}^{t_{kj}}$$

$t_{k1}, t_{k2}, \cdots, t_{km}$のうち1つだけが1で、残りは0です。$P_{kj}$はできごとが起きる確率を、$t_{kj}$は実際にできごとが起きたかどうかを表します。今回は、それぞれ2つの添字が必要になります。

これの対数をとり符号を反転することで、この場合の交差エントロピーは以下の通りに表されます。

$$E = -\log L = -\log \prod_{k=1}^{n} \prod_{j=1}^{m} P_{kj}^{t_{kj}} = -\sum_{k=1}^{n} \sum_{j=1}^{m} \left(t_{kj} \log P_{kj} \right) \quad \text{（式 3）}$$

ニューラルネットワークで対象を3つ以上に分類する場合、上記の交差エントロピーを最小にするように学習が行われることが多いです。

(式2)(式3)は予測(確率)と正解(現実)の誤差を表すと考えることもできますが、このような関数を**誤差関数**、もしくは**損失関数**と呼びます。誤差関数には、第7章で解説する二乗和誤差などいくつかの種類があります。

6.9.7 交差エントロピーを計算する

リスト6.32では、(式2)を使って交差エントロピーを計算します。予測と正解が離れている場合、および予測と正解が近い場合の2通りのケースで計算を行います。**log()**の中が0にならないように、中の値には微小な値**delta**を足します。

リスト6.32 交差エントロピーを計算する

In

```
import numpy as np

delta = 1e-7  # 微小な値

def cross_entropy(p, t):
    return -np.sum(t*np.log(p+delta) + (1-t)*np.log➡
(1-p+delta))  # 交差エントロピー

p_1 = np.array([0.2, 0.8, 0.1, 0.3, 0.9, 0.7]) ➡
# 正解から離れている
p_2 = np.array([0.7, 0.3, 0.9, 0.8, 0.1, 0.2]) ➡
# 正解に近い
t = np.array([1, 0, 1, 1, 0, 0])  # 正解

print("--- 予測と正解が離れている ----")
print(cross_entropy(p_1, t))
print("--- 予測と正解が近い ----")
print(cross_entropy(p_2, t))
```

Out
```
--- 予測と正解が離れている ----
10.231987952842859
--- 予測と正解が近い ----
1.3703572638850776
```

予測と正解が離れている場合、すなわち予測が妥当でない場合は交差エントロピーが大きな値になりました。それに対して、予測と正解が近い場合、すなわち予測が妥当である場合は交差エントロピーが小さくなりました。

このような交差エントロピーが小さくなるように機械学習を行えば、次第に予測精度が向上していきます。

6.9.8 演習

問題

リスト6.33を補完し、表が上になる確率が0.6、裏が上になる確率が0.4のコインを投げる際の平均情報量を計算しましょう。

リスト6.33 問題

In
```
import numpy as np

p = 0.6

# 平均情報量を求めて表示する
```

解答例

リスト6.34 解答例

In
```
import numpy as np

p = 0.6

```

```
# 平均情報量を求めて表示する
print(-p*np.log2(p) - (1-p)*np.log2(1-p))
```

Out

```
0.9709505944546686
```

COLUMN

自然言語処理とは

人工知能は、「自然言語処理」(natural language processing、NLP)によく用いられます。自然言語とは日本語や英語などの我々が普段使う言語のことを指しますが、自然言語処理とはこの自然言語をコンピュータで処理する技術のことです。

それでは、人工知能による自然言語処理はどのような場面で使用されているのでしょうか。

まずは、Googleなどの検索エンジンです。検索エンジンを構築するためには、キーワードからユーザの意図を正しく汲めるように、高度な自然言語処理が必要です。最近では、BERTなどのTransformerベースの技術により、文脈を考慮したより正確な検索が可能になっています。

機械翻訳でも自然言語処理は使われています。言語により単語のニュアンスが異なるため難しいタスクなのですが、新しい技術の登場により、文脈を理解した高精度の翻訳が実現できるようになってきました。

そして、スパムフィルタでも自然言語処理は使われています。我々がスパムメールに悩まされずに済むのも、自然言語処理のおかげです。その他にも、予測変換、音声アシスタント、小説の執筆、対話システムなど、様々な分野で自然言語処理は応用されつつあります。

自然言語処理では、従来は再帰型ニューラルネットワーク(recurrent neural network、RNN)がよく使われていました。RNNは、我々の脳のように「文脈」をもとに判断を下すことができます。この場合の文脈とは、時間変化に伴う複雑な関係の変化のことです。

しかし現在では、Transformerというより進化したアーキテクチャが主流となっています。この技術は、文章中の単語同士の関係性を直接的に計算する「自己注意機構」(Attention)という仕組みを持っており、より長い文脈を理解できます。

このような新しい技術をもとにした大規模言語モデル(LLM)は、ChatGPTのような対話システムや、文章の自動生成、コードの自動生成など、驚くほど幅広いタスクをこなすことができます。

やがて、本書のような本は自然言語処理により人工知能が自動生成してくれる時代が来るのかもしれません。そして、それが可能であるならば、同様にコンピュータのプログラムやプレゼン資料なども自動生成が可能になるでしょう。実際、現在のAIは既にこれらの多くを実現しつつあります。

そのような時代に重要になるのは、人工知能に適切な指示を与え、目的に合った出力を得る「プロンプトエンジニアリング」のスキルなのかもしれませんね。また、AIが生成した内容を適切に評価し、必要に応じて修正できる能力も重要になってくるでしょう。

第7章 数学を機械学習で実践

本章では、ここまでに学んできた数学を人工知能の一種である機械学習へ応用します。

機械学習で扱う問題は、大きく回帰と分類に分けることができますが、それぞれの例を最初に１つずつ解説します。その後、機械学習の一種、ニューラルネットワークの概要を学んだ上で、単一ニューロンに学習を行わせます。最小限の実装で機械学習を行い、数学をどのように機械学習に活用するのかを少しずつ学んでいきます。

7.1 回帰と過学習

比較的シンプルな機械学習である回帰分析を使って、データの傾向を学習します。

7-1-1 回帰と分類

データの傾向を$Y = f(X)$というモデル（定量的なルールを数式などで表したもの）で捉えることを考えます。この場合、XとYは$Y = \{y_1, y_2, \cdots, y_m\}$、$X = \{x_1, x_2, \cdots, x_n\}$のように、それぞれ$m$個、$n$個の値からなります。

このとき、Yの各値が連続値であれば**回帰**、Yの各値が0、1などの離散的な値であれば**分類**といいます。機械学習で扱う問題は、大きくこの「回帰」と「分類」に分けることができます。

7-1-2 回帰分析と多項式回帰

回帰により分析を行うことを**回帰分析**といいます。回帰分析は、モデルがデータの傾向を学習するため機械学習の一種と考えることができます。最もシンプルな回帰分析では、$y = ax + b$という直線の式をデータに当てはめます。

ここでは、多項式をデータに当てはめる**多項式回帰**を使用して機械学習を行います。以前の章で解説しましたが、n次の多項式は以下のように総和の形で表すことができます。

$$f(x) = \sum_{k=0}^{n} a_k x^k \quad \text{（式 1）}$$

この場合、$a_0, a_1, \cdots, a_n$が関数のパラメータになります。

この式をデータに当てはめることで、データの特徴を捉え、未知の値の予測が可能になります。

7-1-3 最小二乗法

最小二乗法とは、以下で表される二乗和Jを最小にする、関数$f(x)$のパラメータを求めることです。

$$J = \sum_{j=1}^{m} \Big(f(x_j) - t_j \Big)^2$$

ここで、t_jは各データを表します。このように、関数の出力と各データの差を2乗して総和をとることで、二乗和は表されます。

機械学習においては、これに$\frac{1}{2}$を掛けて誤差とする、以下の二乗和誤差がよく使われます。

$$E = \frac{1}{2} \sum_{j=1}^{m} \Big(f(x_j) - t_j \Big)^2 \qquad \text{(式 2)}$$

$\frac{1}{2}$を掛けるのは、微分する際に扱いやすくするためです。

この誤差が最小になるように関数のパラメータを調整することは、関数がデータの傾向を表すように学習することを意味します。

7-1-4 最急降下法を用いて誤差を最小にする

(式 1) で表される多項式を用いた多項式回帰の場合、(式 2) の二乗和誤差を最小にするように各パラメータを調整します。

(式 1) を (式 2) に代入すると以下の形になります。

$$E = \frac{1}{2} \sum_{j=1}^{m} \Big(\sum_{k=0}^{n} a_k x_j^k - t_j \Big)^2 \qquad \text{(式 3)}$$

ここでは、この誤差を最小化するために以前の章で解説した最急降下法を使用します。

(式 3) のEを最小化する場合、最急降下法は以下の式で表されます。$0 \leqq i \leqq n$とします。

$$a_i \leftarrow a_i - \eta \frac{\partial E}{\partial a_i} \qquad \text{(式 4)}$$

パラメータ$a_0, a_1, \cdots, a_n$を上記の式で更新するわけですが、そのためには誤差Eのa_iによる偏微分$\frac{\partial E}{\partial a_i}$を求める必要があります。

$\frac{\partial E}{\partial a_i}$は次のように、連鎖律を用いて求めることができます。

まず、次のようにu_jを設定します。

$$u_j = \sum_{k=0}^{n} a_k x_j^k - t_j \qquad \text{(式 5)}$$

このとき、Eは次のように表されます。

$$E = \frac{1}{2}\sum_{j=1}^{m} u_j^2$$

従って、Eをa_iで偏微分しますが、連鎖律を用いて以下のように展開することができます。

$$\frac{\partial E}{\partial a_i} = \frac{1}{2}\sum_{j=1}^{m} \frac{\partial u_j^2}{\partial u_j}\frac{\partial u_j}{\partial a_i} \qquad \text{(式 6)}$$

ここで、Σの中身はそれぞれ次のように求めることができます。

$$\frac{\partial u_j^2}{\partial u_j} = 2u_j$$

$$\frac{\partial u_j}{\partial a_i} = x_j^i$$

上記は（式 5）の偏微分により求めました。
以上により、（式 6）は次の形になります。

$$\begin{aligned}\frac{\partial E}{\partial a_i} &= \frac{1}{2}\sum_{j=1}^{m} 2u_j x_j^i \\ &= \sum_{j=1}^{m} u_j x_j^i \\ &= \sum_{j=1}^{m}\left(\sum_{k=0}^{n} a_k x_j^k - t_j\right)x_j^i \\ &= \sum_{j=1}^{m}\Big(f(x_j) - t_j\Big)x_j^i \qquad \text{(式 7)}\end{aligned}$$

この式と（式 4）を使って各パラメータa_iを何度も更新することで、二乗和誤差Eは次第に小さくなっていきます。

以上のような誤差のパラメータによる偏微分は、しばしば**勾配**と呼ばれます。

特に近年注目を集めているディープラーニングにおいては、勾配の求め方がアルゴリズムの心臓部になります。

7-1-5 使用するデータ

本節で多項式回帰に使用するデータは、**sin()**関数にノイズを加えたもので、リスト7.1のコードで生成されます。NumPyの**random.randn()**関数は、引数の数だけ正規分布に従う乱数を返します。ここでは、これに0.4を掛けてノイズとします。

また、パラメータを収束しやすくするため、入力**X**は-1から1の範囲に収まるようにします。

リスト7.1 **sin()**関数にノイズを加えたデータ

In

```
%matplotlib inline

import numpy as np
import matplotlib.pyplot as plt

X = np.linspace(-np.pi, np.pi)  # 入力
T = np.sin(X)  # データ
plt.plot(X, T)  # ノイズの付加前

T += 0.4*np.random.randn(len(X)) ➡
# 正規分布に従うノイズを加える
plt.scatter(X, T)  # ノイズの付加後

plt.show()

X /= np.pi  # 収束しやすくするため、Xの範囲を-1から1の間に収める
```

Out

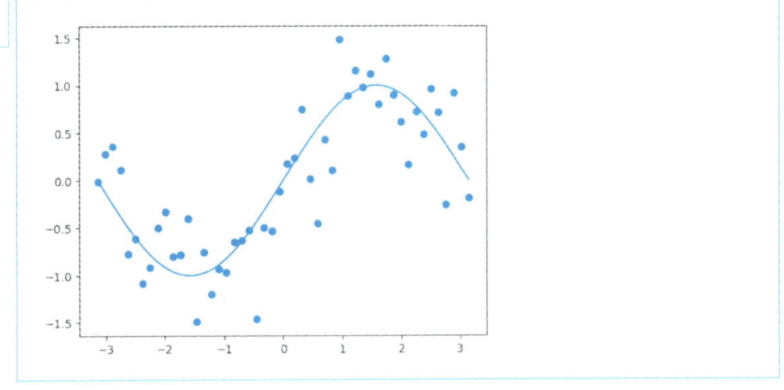

sin()関数をベースとしていますが、ある程度ランダムに散らばっているデータが生成されました。このようなデータの傾向を、多項式回帰により捉えます。

7-1-6 多項式回帰の実装

リスト7.2のコードで多項式回帰を実装します。最急降下法により、二乗和誤差が小さくなるように各係数を調整します。各パラメータには初期値を設定する必要がありますが、入力Xの各値が-1と1の間にあるため高次の項ほど大きな初期値が必要になります。

1次、3次、6次それぞれの多項式で多項式回帰を行い、結果を表示します（リスト7.2）。

リスト7.2 最急降下法による多項式回帰

In

```
eta = 0.01  # 学習係数


# --- 多項式 ---
def polynomial(x, params):
    poly = 0
    for i in range(len(params)):
        poly += params[i]*x**i  # (式 1)
    return poly


# --- 各パラメータの勾配 ---
def grad_params(X, T, params):
```

```
    grad_ps = np.zeros(len(params))
    for i in range(len(params)):
        for j in range(len(X)):
            grad_ps[i] += ( polynomial(X[j], params) ➡
- T[j] )*X[j]**i  # (式 7)
    return grad_ps

# --- 学習 ---
def fit(X, T, degree, epoch):  ➡
# degree: 多項式の次数 epoch: 繰り返し回数

    # --- パラメータの初期値を設定 ---
    params = np.random.randn(degree+1)  # パラメータの初期値
    for i in range(len(params)):
        params[i] *= 2**i  ➡
# 高次の項ほどパラメータの初期値を大きくする

    # --- パラメータの更新 ---
    for i in range(epoch):
        params -= eta * grad_params(X, T, params)  ➡
# (式 4)

    return params

# --- 結果の表示 ---
degrees = [1, 3, 6]  # 多項式の次数
for degree in degrees:
    print("--- " + str(degree) + "次多項式 ---")  ➡
# strで文字列に変換
    params = fit(X, T, degree, 1000)
    Y = polynomial(X, params)  ➡
# 学習後のパラメータを使用した多項式
    plt.scatter(X, T)
    plt.plot(X, Y, linestyle="dashed")
    plt.show()
```

Out

--- 1次多項式 ---

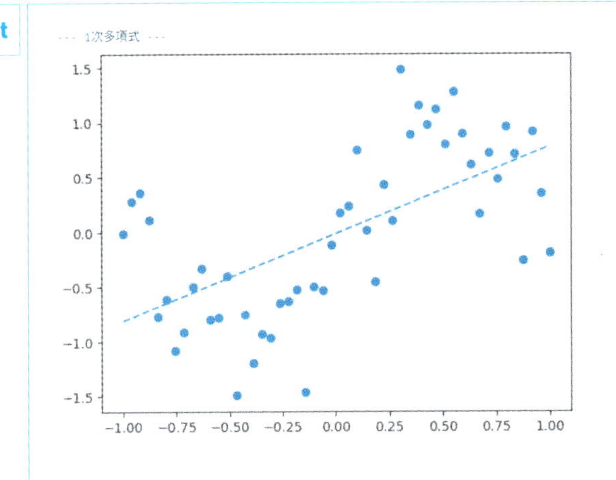

--- 3次多項式 ---

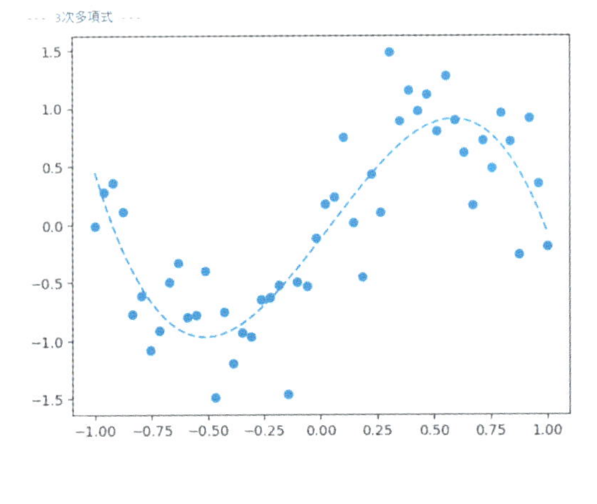

--- 6次多項式 ---

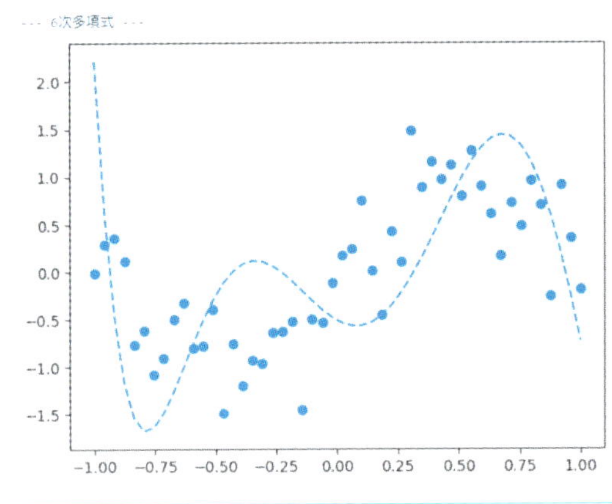

1次多項式の場合、関数の形状は直線となります。この場合、データの傾向は非常に大雑把にしか捉えることができません。3次多項式の場合、関数の形状が**sin()**関数と近くなり、データの傾向をよく捉えています。6次多項式の場合、関数の形状が複雑すぎてデータの傾向を正しく把握できていません。

以上のように、次数が大きすぎても小さすぎてもデータの傾向を正しく捉えることはできません。特に、上記の6次多項式のケースのように、モデルが複雑すぎるなどの理由でデータに過剰にフィッティングしてしまうことを**過学習**といいます。過学習は、モデルがデータに過剰に適合するあまり、データの本質を掴み損ねた状態と考えることができます。

このような過学習が発生すると、モデルの未知のデータを予測する性能が低下するため、過学習は機械学習全般において避けるべき問題です。

7-1-7 演習

問題

上記の多項式回帰のコードで、多項式の次数を変更して実行してみましょう。

解答例

自身で想定した結果になっているかどうか確認してみましょう。

7.2 分類とロジスティック回帰

機械学習の一種であるロジスティック回帰により、データの分類を行います。

7-2-1 分類とは

前節で少し触れましたが、0、1などの離散的な値を出力とする機械学習のモデルを使って、データの傾向を捉えることを**分類**といいます。すなわち、分類は機械学習のモデルにより入力をグループ分けすることを意味します。

例えば、花の品種の分類や文字の認識など、離散的に入力をグループ分けする機械学習のタスクは分類とみなすことができます。

7-2-2 ロジスティック回帰とは

ロジスティック回帰では、入力を0か1の二値に分類します。ロジスティック回帰において、分類に使用する式は以下の通りです。

$$y = \frac{1}{1 + \exp\left(-(\sum_{k=1}^{n} a_k x_k + b)\right)} \quad \text{(式 1)}$$

$x_1, x_2, \cdots, x_n$が入力で、$a_1, a_2, \cdots, a_n$およびbはパラメータです。入力として、複数の変数があります。

$u = \sum_{k=1}^{n} a_k x_k + b$とおくと、(式 1) は以下の形になります。

$$y = \frac{1}{1 + \exp(-u)}$$

これは、以前の章で解説したシグモイド関数と同じです。

ロジスティック回帰では、0と1の間を連続的に出力するシグモイド関数の特性を利用して、出力が0.5よりも小さいときは0のグループに分類し、出力が0.5より大きいときは1のグループに分類します。

(式 1) の出力は0から1の範囲に収まるので、これは確率を表すと解釈することができます。また、二値分類なので現実のグループは0か1のどちらかで表されます。従って、以前に解説した交差エントロピーを使って誤差を表すことができます。

誤差が最小になるようにパラメータを調整することで、(式 1) のモデルは適切な分類ができるように学習します。

7-2-3 パラメータの最適化

ここでも、以下の式で表される最急降下法を使ってパラメータを最適化します。$1 \leqq i \leqq n$とします。

$$a_i \leftarrow a_i - \eta \frac{\partial E}{\partial a_i}$$

$$b \leftarrow b - \eta \frac{\partial E}{\partial b} \quad \text{(式 2)}$$

まず誤差ですが、以下の交差エントロピーを使用します。

$$E = -\sum_{j=1}^{m}\Big(t_j \log y_j + (1-t_j)\log(1-y_j)\Big) \qquad \text{(式 3)}$$

ここで、mは学習に使うサンプルの数です。また、y_jは以下の通りに表されます。

$$y_j = \frac{1}{1+\exp\Big(-(\sum\limits_{k=1}^{n} a_k x_{jk} + b)\Big)} \qquad \text{(式 4)}$$

x_{jk}には添字が2つありますが、このjは出力y_jと対応した入力であることを表します。

ここで、連鎖律を使って誤差Eをa_iで偏微分し、勾配を求めます。

$$\begin{aligned}
\frac{\partial E}{\partial a_i} &= -\sum_{j=1}^{m}\Big(t_j \frac{\partial}{\partial a_i}(\log y_j) + (1-t_j)\frac{\partial}{\partial a_i}(\log(1-y_j))\Big) \\
&= -\sum_{j=1}^{m}\Big(t_j \frac{\partial(\log y_j)}{\partial y_j}\frac{\partial y_j}{\partial a_i} + (1-t_j)\frac{\partial(\log(1-y_j))}{\partial y_j}\frac{\partial y_j}{\partial a_i}\Big) \\
&= -\sum_{j=1}^{m}\Big(\frac{t_j}{y_j}\frac{\partial y_j}{\partial a_i} - \frac{1-t_j}{1-y_j}\frac{\partial y_j}{\partial a_i}\Big) \qquad \text{(式 5)}
\end{aligned}$$

ここで、$\frac{\partial y_j}{\partial a_i}$を求めます。これは、$u_j = \sum\limits_{k=1}^{n} a_k x_{jk} + b$とおくと、連鎖律により以下のように表すことができます。

$$\frac{\partial y_j}{\partial a_i} = \frac{\partial y_j}{\partial u_j}\frac{\partial u_j}{\partial a_i} \qquad \text{(式 6)}$$

ここで、(式 6) の右辺の$\frac{\partial y_j}{\partial u_j}$は、シグモイド関数の偏微分になります。シグモイド関数$f(x)$の導関数は、

$$f'(x) = (1-f(x))f(x)$$

なので、次のように表すことができます。

$$\frac{\partial y_j}{\partial u_j} = (1-y_j)y_j$$

また、（式 6）の右辺の$\frac{\partial u_j}{\partial a_i}$は、次のように求めることができます。

$$\frac{\partial u_j}{\partial a_i} = x_{ji}$$

これらにより、（式 6）は次のように表されます。

$$\frac{\partial y_j}{\partial a_i} = (1 - y_j)y_j x_{ji}$$

これを（式 5）に代入すると、以下のようになります。

$$\begin{aligned}
\frac{\partial E}{\partial a_i} &= -\sum_{j=1}^{m}\Big(\frac{t_j}{y_j}\frac{\partial y_j}{\partial a_i} - \frac{1-t_j}{1-y_j}\frac{\partial y_j}{\partial a_i}\Big) \\
&= -\sum_{j=1}^{m}\Big(t_j(1-y_j)x_{ji} - (1-t_j)y_j x_{ji}\Big) \\
&= -\sum_{j=1}^{m}(t_j - y_j)x_{ji} \\
&= \sum_{j=1}^{m}(y_j - t_j)x_{ji} \qquad \text{（式 7）}
\end{aligned}$$

結果として、前節の回帰の場合（7.1.4の式 7）と似た式が得られました。

次に、$\frac{\partial E}{\partial b}$を求めます。この勾配の求め方は$\frac{\partial E}{\partial a_i}$の求め方とほぼ同じなのですが、$\frac{\partial u_j}{\partial b}$のみ異なります。

$$\frac{\partial u_j}{\partial b} = 1$$

（式 5）のa_iをbに入れ替えて、さらに上記の関係を使うことで$\frac{\partial E}{\partial b}$を次の通りに求めることができます。

$$\frac{\partial E}{\partial b} = \sum_{j=1}^{m}(y_j - t_j) \qquad \text{（式 8）}$$

（式 2）（式 7）（式 8）により、パラメータを繰り返し更新して最適化します。

7-2-4 使用するデータ

本節でロジスティック回帰に使用するデータは、(x, y) 座標に正解ラベルとして0か1を割り振ったもので、リスト7.3のコードで生成されます。座標平面における左上の領域の正解ラベルを0、右下の領域の正解ラベルを1としますが、領域の境界はわざと不明瞭にします。

リスト7.3 境界が不明瞭ながらも、2つの領域に分かれたデータ

In

```
%matplotlib inline

import numpy as np
import matplotlib.pyplot as plt

n_data = 500  # データ数
X = np.zeros((n_data, 2))  # 入力
T = np.zeros((n_data))  # 正解

for i in range(n_data):
    # x、y座標をランダムに設定する
    x_rand = np.random.rand()  # x座標
    y_rand = np.random.rand()  # y座標
    X[i, 0] = x_rand
    X[i, 1] = y_rand

    # xがyより大きい領域では正解ラベルを1にする。➡
境界は正規分布を使って少しぼかす
    if x_rand > y_rand + 0.2*np.random.randn():
        T[i] = 1

plt.scatter(X[:, 0], X[:, 1], c=T)  # 正解ラベルを色で表す
plt.colorbar()
plt.show()
```

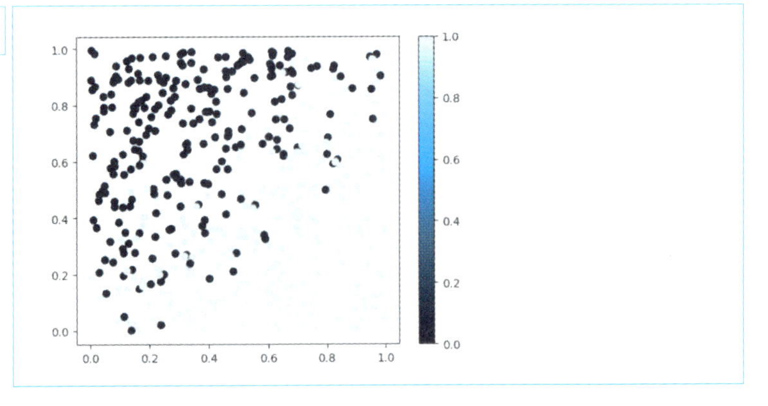

データは、正解ラベルにより0と1のグループに分けられています。リスト7.3の散布図には、明確にどちらかのグループに属する領域と、ラベルが入り混じった領域があります。

7-2-5 ロジスティック回帰の実装

リスト7.4のコードでロジスティック回帰を実装します。最急降下法により、交差エントロピー誤差が小さくなるように各係数を調整します。結果として得られる確率の分布、および誤差の推移をグラフとして表示します。

リスト7.4 ロジスティック回帰により、データを分類する

In

```
eta = 0.01  # 学習係数


# --- 出力を計算（分類を行う）---
def classify(x, a_params, b_param):
    u = np.dot(x, a_params) + b_param  #（式4の一部）
    return 1/(1+np.exp(-u))  #（式 4）


# --- 交差エントロピー誤差 ---
def cross_entropy(Y, T):
    delta = 1e-7  # 微小な値
    return -np.sum(T*np.log(Y+delta) + (1-T)*np.log➡
(1-Y+delta))  #（式 3）
```

```
# --- 各パラメータの勾配 ---
def grad_a_params(X, T, a_params, b_param): ➡
# a1, a2, ...の勾配
    grad_a = np.zeros(len(a_params))
    for i in range(len(a_params)):
        for j in range(len(X)):
            grad_a[i] += ( classify(X[j], a_params, ➡
b_param) - T[j] )*X[j, i]  # (式 7)
    return grad_a

def grad_b_param(X, T, a_params, b_param):  # bの勾配
    grad_b = 0
    for i in range(len(X)):
        grad_b += ( classify(X[i], a_params, b_param) ➡
- T[i] )  # (式 8)
    return grad_b

# --- 学習 ---
error_x = []  # 誤差の記録用
error_y = []  # 誤差の記録用
def fit(X, T, dim, epoch): ➡
# dim: 入力の次元 epoch: 繰り返し回数

    # --- パラメータの初期値を設定 ---
    a_params = np.random.randn(dim)
    b_param = np.random.randn()

    # --- パラメータの更新 ---
    for i in range(epoch):
        grad_a = grad_a_params(X, T, a_params, b_param)
        grad_b = grad_b_param(X, T, a_params, b_param)
        a_params -= eta * grad_a  # (式 2)
        b_param -= eta * grad_b  # (式 2)
```

```
        Y = classify(X, a_params, b_param)
        error_x.append(i)  # 誤差の記録
        error_y.append(cross_entropy(Y, T))  # 誤差の記録

    return (a_params, b_param)

# --- 確率分布の表示 ---
a_params, b_param = fit(X, T, 2, 200)  # 学習
Y = classify(X, a_params, b_param) ➡
# 学習後のパラメータを使用した分類

result_x = []  # x座標
result_y = []  # y座標
result_z = []  # 確率
for i in range(len(Y)):
    result_x.append(X[i, 0])
    result_y.append(X[i, 1])
    result_z.append(Y[i])

print("--- 確率分布 ---")
plt.scatter(result_x, result_y, c=result_z) ➡
# 確率を色で表示
plt.colorbar()
plt.show()

# --- 誤差の推移 ---
print("--- 誤差の推移 ---")
plt.plot(error_x, error_y)
plt.xlabel("Epoch", size=14)
plt.ylabel("Cross entropy", size=14)
plt.show()
```

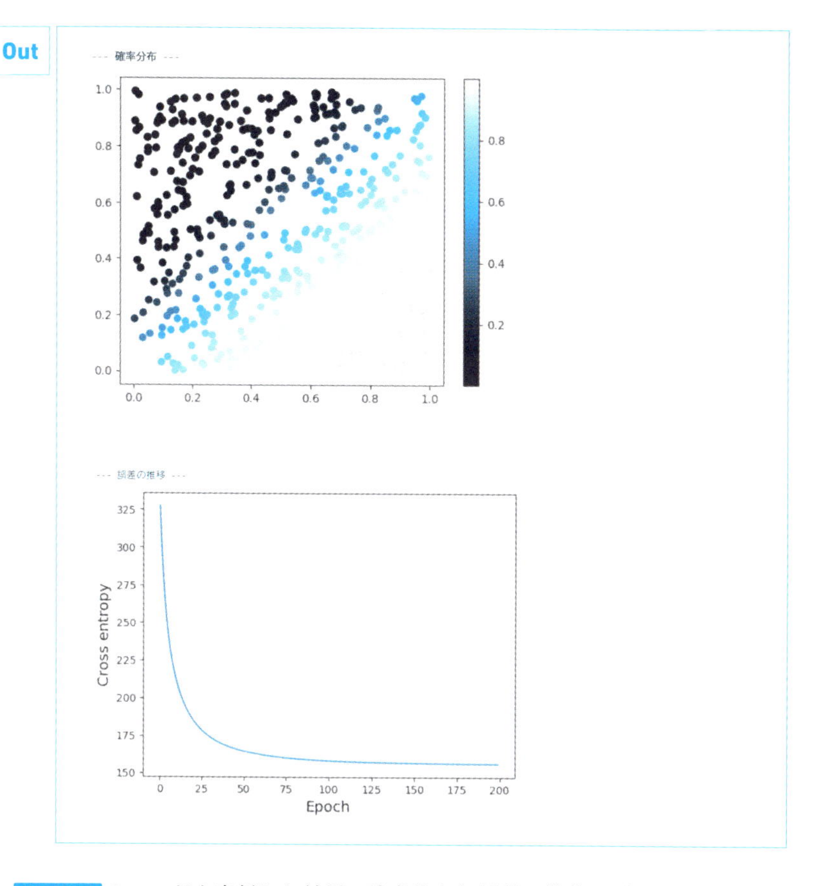

リスト7.4 のコードを実行した結果、確率分布と誤差の推移がグラフで表示されました。

ロジスティック回帰では出力が確率と解釈することができるので、色は正解ラベル1に分類される確率と考えることができます。もとのデータのように、左上の領域と右下の領域において確率は一定ですが、もとのデータで0と1のラベルが入り混じっていた境界の領域においては、確率は0と1の中間の値をとっています。

このように、ロジスティック回帰のモデルを学習させることで、データの傾向を確率分布として捉えることができます。結果を二値に分類する際は、0.5を境として出力が小さい領域と大きい領域の2つに分類します。

また、学習の推移のグラフからは、学習が進みパラメータが最適化されるとともに交差エントロピー誤差が低下していく様子を確認できます。誤差の低下は、次第に緩やかになっていきます。このケースでは正解ラベルが入り混じった領域が広いため、誤差はあまり0に近くなりません。

7-2-6 演習

問題

正解ラベルの境界を変更した上で、ロジスティック回帰のコードを実行してみましょう。

解答例

自身で想定した結果になっているかどうか確認してみましょう。

7.3 ニューラルネットワークの概要

本章では以降、数ある機械学習アルゴリズムの中でも近年特に注目を集めている、ニューラルネットワークについて解説します。擬似的な神経細胞をプログラムで再現し、これを複数集めることで高度な表現力を持つネットワークが構築可能になります。

7-3-1 人工知能(AI)、機械学習、ニューラルネットワーク

最初に、人工知能（AI)、機械学習、ニューラルネットワークについて概念を 図7.1 に整理します。

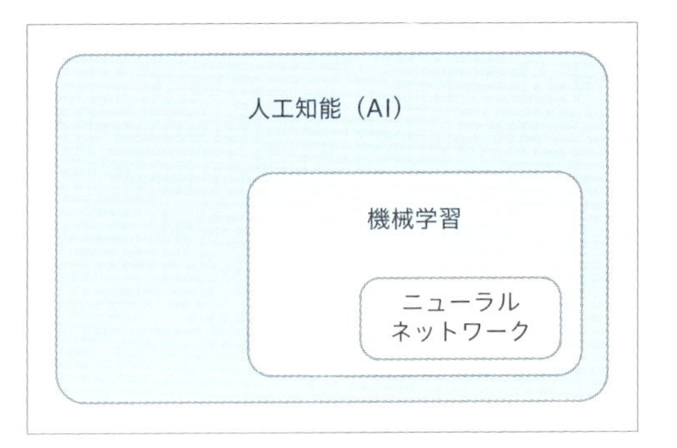

図7.1 人工知能、機械学習、ニューラルネットワーク

図7.1 の中で一番広い概念は人工知能です。そして、この人工知能は機械学習を含みます。さらに、その機械学習の中の一分野がニューラルネットワークとなります。

それでは、この中の人工知能について解説します。以下に、人工知能と呼ばれるものをいくつかリストアップします。

- **機械学習**
  - コンピュータ上のアルゴリズムが経験・学習し、判断を行います。
- **遺伝的アルゴリズム**
  - 生物の遺伝子を模倣したコンピュータ上の遺伝子が、突然変異および交配を行います。
- **群知能**
  - シンプルなルールに則って行動する個体の集合体が、集団として高度な振る舞いをします。
- **エキスパートシステム**
  - 人間の専門家の思考を模倣することで、知識に基づくアドバイスが可能になります。
- **ファジイ制御**
  - 曖昧さを許容することで、ヒトの経験則に近い制御が可能になります。主に家電などに用いられています。
- etc...

さらに、上記の中の機械学習には、以下のようなアルゴリズムがあります。

- **強化学習**
  - 試行錯誤を通じて環境における価値を最大化するような行動を「エージェント」が学習します。
- **決定木**
  - ツリー構造を訓練することで、枝分かれ状にデータを分類します。これにより、データの適切な予測ができるようになります。
- **サポートベクターマシン**
  - 超平面（平面の拡張）を訓練し、データの分類を行います。
- **k近傍法**
  - 最近傍のk個の点を用いた多数決により分類を行う、最もシンプルな機械学習のアルゴリズムです。

- **ニューラルネットワーク**
  - 脳の神経細胞ネットワークから着想したモデルで、近年注目を集めているディープラーニングのベースです。
- etc...

以上のように、ニューラルネットワークは機械学習のアルゴリズムになります。

7-3-2 ニューロンのモデル

実際の脳には約1000億個の神経細胞がありますが、コンピュータ上のニューラルネットワークはこの神経細胞ネットワークをモデルにしています。

コンピュータ上のニューラルネットワークは人工ニューラルネットワークとも呼ばれますが、以降ニューラルネットワークと記述する際は、この人工ニューラルネットワークを指すことにします。

ニューラルネットワークでは、脳内の神経細胞を 図7.2 のように抽象化します。

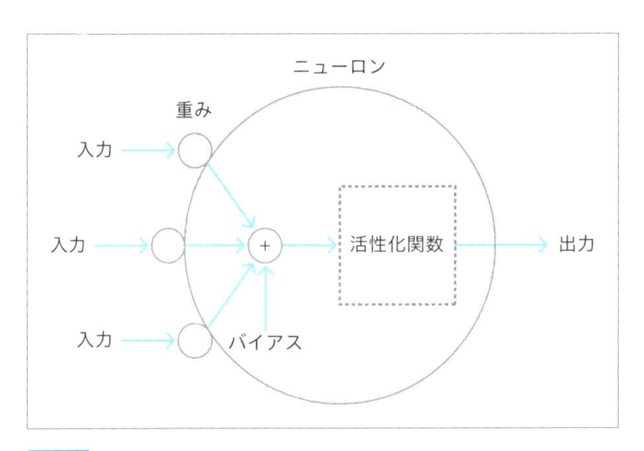

図7.2 ニューロンのモデル

単一のニューロンでは、複数の入力にそれぞれ**重み**を掛けて、足し合わせます。そして、それに**バイアス**を加えて**活性化関数**という関数で処理をします。

入力に重みを掛けることで、各入力の影響力が調整されます。また、入力と重みの積の総和にバイアスを加えることで、活性化関数に入る値が調整されますが、バイアスはニューロンの言わば感度を表す値となります。そして活性化関数は、入力と重みの積の総和にバイアスを足したものを出力に変換します。活性化関数は、言わばニューロンを興奮させるための関数です。この関数への入力の大きさからニューロンの興奮の度合いが決定され、これが出力となります。

7-3-3 ニューラルネットワーク

ニューラルネットワークは、単一ニューロンを複数組み合わせて構築されます。図7.3 は、ニューラルネットワークの概念図です。

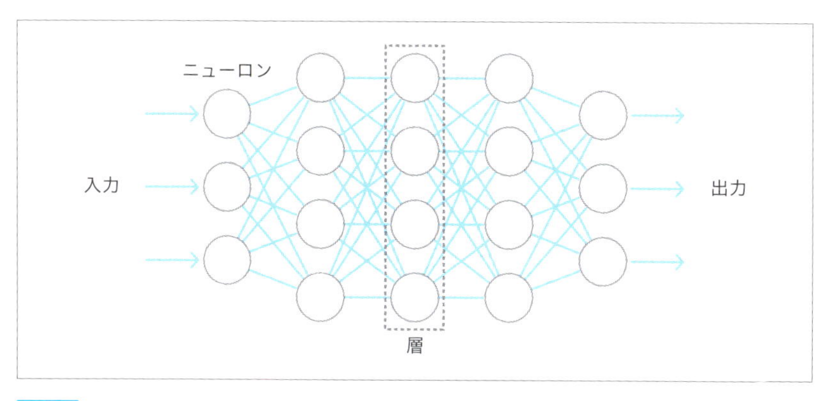

図7.3 ニューラルネットワーク

ニューラルネットワークは、複数のニューロンからなる層が並ぶことにより構成されます。1つのニューロンは、隣り合う層のすべてのニューロンと接続されますが、同じ層における他のニューロンとは接続されません。あるニューロンの出力は、次の層のニューロンへの入力となります。ニューラルネットワーク全体の入力から全体の出力へ向けて、層から層へ情報が流れることになります。

また、ニューラルネットワークには**順伝播**、**逆伝播**という概念があります。順伝播では情報が入力から出力の方向に流れ、逆伝播では情報が出力から入力に流れます。

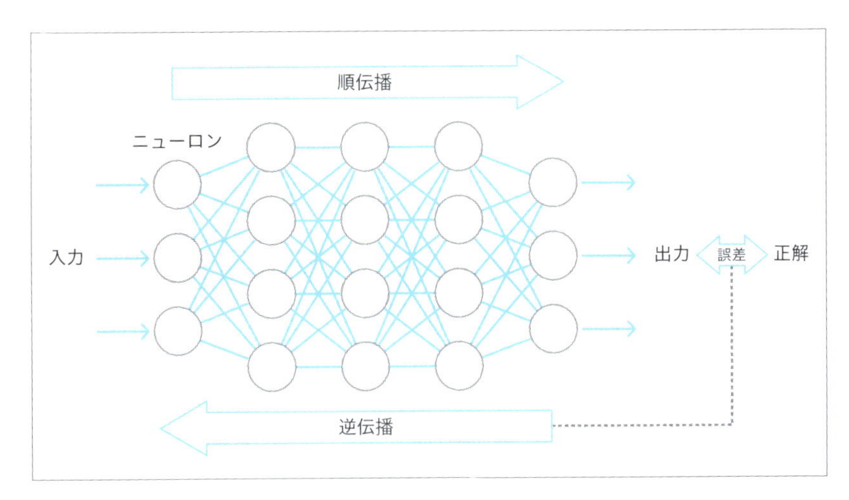

図7.4 順伝播と逆伝播

図7.4 では、入力、出力の他に正解があります。ニューラルネットワークに学習をさせる際には、出力が正解に近づくように各ニューロンの重みとバイアスを調整します。

順伝播では、入力値に基づいて出力値が予測され、逆伝播では出力と正解の誤差が小さくなるように、ニューラルネットワークが学習します。順伝播では一層ずつ入力に近い層から出力に近い層へ向けて処理が行われていきますが、逆伝播では出力に近い層から入力に近い層に向けて一層ずつ重みとバイアスの更新が行われていきます。このような逆伝播には、バックプロパゲーション（誤差逆伝播法）というアルゴリズムがよく用いられます。

また、層の数が多いニューラルネットワークにおける学習を、ディープラーニング（深層学習）と呼びます。基本的に、層の数や層内のニューロン数が増えればニューラルネットワークの表現力は向上します。ディープラーニングは、ヒトの脳に部分的に迫る非常に高度な学習を行うことができるのが特徴です。

バックプロパゲーションのアルゴリズムは少々複雑なのですが、本章ではこれを大幅に簡略化します。ニューラルネットワークにおけるニューロンの数を極限まで減らし、単一層、単一ニューロンとします。そして、単一ニューロンであっても学習が可能であることを示していきます。

7.4 学習のメカニズム

ニューラルネットワークの第一歩として、単一ニューロンが学習する仕組みを解説します。複数の層、多数のニューロンを有するニューラルネットワークの場合よりも、仕組みは大幅にシンプルになります。

本節で解説する学習の仕組みは、次節以降でコードに落とし込みます。

7-4-1 単一ニューロンの学習

通常、ニューラルネットワークは複数のニューロンからなる層が重なって構成されます。しかしながら、本章では簡単にするため単一ニューロンを用いてシンプルな学習を行います。

図7.5は、ここで学習に用いるニューロンです。

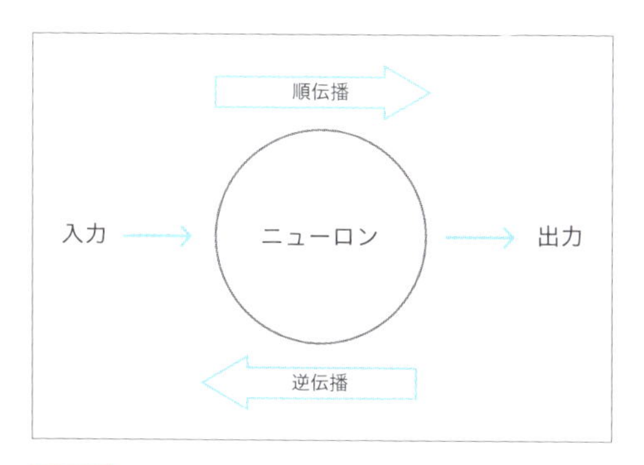

図7.5 単一ニューロンにおける情報の伝播

ニューロンには通常複数の入力がありますが、ここでは入力は1つのみとします。このニューロンの入力をx座標、出力をy座標として、出力が正解に近づくようにニューロンを訓練します。

7-4-2 順伝播の式

上記の単一ニューロンにおいて、順伝播は以下の式で表されます。

$$u = wx + b$$
$$y = f(u) \quad \text{(式 1)}$$

xが入力、yが出力です。

wは重みと呼ばれるパラメータ、bはバイアスと呼ばれるパラメータです。

これらのパラメータの調整により、たとえ単一ニューロンであっても学習を行うことが可能です。

入力と重みの積にバイアスを足したものをuとし、uを活性化関数と呼ばれる関数に入れます。

上記の式では、fが活性化関数です。fにより、出力yを得ることができます。

ニューラルネットワークにおいては様々な活性化関数が使われますが、今回はシグモイド関数を活性化関数として使用します。

この場合、(式1) は次の形になります。

$$y = \frac{1}{1 + \exp\left(-(wx + b)\right)}$$

7-4-3 誤差の定義

出力と正解の誤差を定義します。誤差を小さくするように、重みとバイアスを調整することで学習が行われます。

ここでは回帰を扱うので、誤差関数には以下の二乗和誤差を使います。

$$E = \frac{1}{2}\sum_{j=1}^{m}\left(y_j - t_j\right)^2$$

単一ニューロンは出力が1つのみなので、順伝播1回当たりの誤差は以下の形で表されます。

$$E = \frac{1}{2}(y - t)^2$$

Eが誤差、tが正解、yが出力です。

ここでは、順伝播1回ごとに誤差を求めパラメータを更新しますが、このような学習を**オンライン学習**といいます。それに対して、使用するすべてのデータで順伝播を行い、誤差の合計を用いてパラメータを更新する学習を、**バッチ学習**といいます。

なお、今回は回帰なので二乗和誤差を使用しましたが、分類の場合は交差エントロピー誤差がよく利用されます。

7-4-4 正解データの用意

ここでは、単一ニューロンのモデルに**sin()**関数の曲線を学習させます。しかしながら、ニューロンが1つしかないので曲線の一部しか学習できません。ここでは、$-\frac{\pi}{2}$から$\frac{\pi}{2}$までの範囲の曲線を使用します（リスト7.5）。シグモイド関数は0から1までの値しか出力できないので、この範囲に収まるように正解の値を調整します。

リスト7.5 入力データと正解データを用意する

In

```
%matplotlib inline

import numpy as np
import matplotlib.pyplot as plt

# -- 入力と正解の用意 --
X = np.linspace(-np.pi/2, np.pi/2) ➡
# 入力: -π/2からπ/2の範囲
T = (np.sin(X) + 1)/2  # 正解: 0から1の範囲
n_data = len(T)  # データ数

# --- グラフで描画してみる ---
plt.plot(X, T)

plt.xlabel("x", size=14)
plt.ylabel("y", size=14)
plt.grid()

plt.show()
```

Out

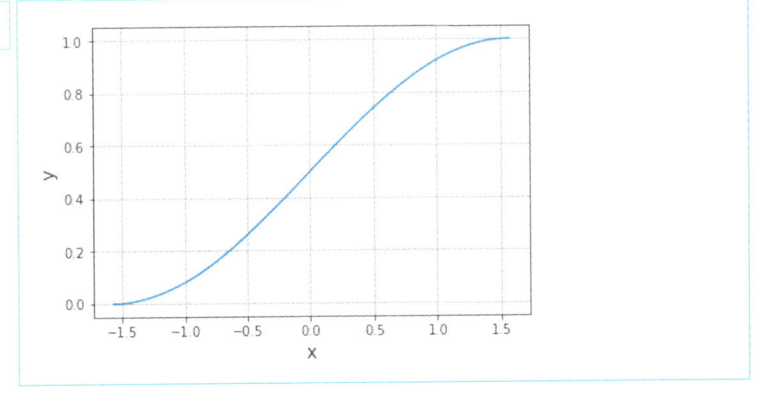

学習する際は、出力がこの曲線に近づくように重みとバイアスの調整を行います。さらに複雑な曲線を学習する際は、ニューロンの数や層の数を増やす必要があります。

7-4-5 重みとバイアスの更新

以下の最急降下法の式を利用して、重みとバイアスを更新します。

$$w \leftarrow w - \eta \frac{\partial E}{\partial w}$$
$$b \leftarrow b - \eta \frac{\partial E}{\partial b} \quad \text{(式 2)}$$

$\frac{\partial E}{\partial w}$ は重みの勾配で、$\frac{\partial E}{\partial b}$ はバイアスの勾配です。上記の式により重みとバイアスの更新を行うためには、これらの勾配を求める必要があります。

ここでは、**確率的勾配降下法**（stochastic gradient descent、SGD）を採用します。確率的勾配降下法では、ランダムにサンプルを取り出して上記の式によりパラメータを更新します。

7-4-6 重みの勾配

重みとバイアスの勾配をそれぞれ求めます。まずは重みの勾配、すなわち $\frac{\partial E}{\partial w}$ を求めます。

重みの勾配は、微分の章で解説した連鎖律を用いて以下のように展開できます。

$$\frac{\partial E}{\partial w} = \frac{\partial E}{\partial u}\frac{\partial u}{\partial w} \quad (式\ 3)$$

ここでは、以前に（式 1）で使用したuを使っています。

ここで、右辺の$\frac{\partial u}{\partial w}$の部分は次のように表せます。

$$\begin{aligned}\frac{\partial u}{\partial w} &= \frac{\partial (wx+b)}{\partial w} \\ &= x\end{aligned} \quad (式\ 4)$$

（式 3）の右辺の$\frac{\partial E}{\partial u}$の部分は、出力$y$を用いた連鎖律により次のようになります。

$$\frac{\partial E}{\partial u} = \frac{\partial E}{\partial y}\frac{\partial y}{\partial u}$$

すなわち、誤差を出力で偏微分したものと、出力をuで偏微分したものの積になります。

前者は、次のように誤差を偏微分することで求めることができます。

$$\frac{\partial E}{\partial y} = \frac{\partial}{\partial y}(\frac{1}{2}(y-t)^2) = y-t$$

後者は、活性化関数を偏微分することで求めることができます。

活性化関数にはシグモイド関数を使いますが、シグモイド関数$f(x)$の導関数は、

$$f'(x) = (1-f(x))f(x)$$

となります。

従って、$\frac{\partial y}{\partial u}$は次のようになります。

$$\frac{\partial y}{\partial u} = (1-y)y$$

ここで、次のようにδを設定しておきます。

$$\delta = \frac{\partial E}{\partial u} = \frac{\partial E}{\partial y}\frac{\partial y}{\partial u} = (y-t)(1-y)y \quad (式\ 5)$$

このδは、バイアスの勾配を求める際にも使用します。

（式 4）と（式 5）により、（式 3）は次の形になります。

$$\frac{\partial E}{\partial w} = x\delta$$

重みの勾配$\frac{\partial E}{\partial w}$を、$x$とδの積として表すことができました。

7-4-7 バイアスの勾配

バイアスの勾配も同様にして求めることができます。

バイアスの場合、連鎖律により以下の関係が成り立ちます。

$$\frac{\partial E}{\partial b} = \frac{\partial E}{\partial u}\frac{\partial u}{\partial b} \quad \text{（式 6）}$$

このとき、右辺の$\frac{\partial u}{\partial b}$の部分は次のようになります。

$$\begin{aligned}\frac{\partial u}{\partial b} &= \frac{\partial (wx+b)}{\partial b} \\ &= 1\end{aligned}$$

（式 6）における$\frac{\partial E}{\partial u}$の部分は、重みの勾配の場合と変わらないので、同様にδとします。

以上を踏まえて、（式 6）は次の形になります。

$$\frac{\partial E}{\partial b} = \delta$$

このように、バイアスの場合勾配はδに等しくなります。

以上により、重みとバイアスの勾配を、それぞれδを用いたシンプルな式で表すことができました。これらと（式 2）を使って重みとバイアスを更新することにより、学習が行われます。

7.5 単一ニューロンによる学習の実装

前節で導出した式を利用して、学習する単一ニューロンのコードを実装します。

7-5-1 ベースの数式

前節で解説した以下の数式をベースに、コードを記述します。

x:入力　y:出力　f:活性化関数　w:重み　b:バイアス　η:学習係数　E:誤差　t:正解

$$u = xw + b \tag{式 1}$$

$$y = f(u) \tag{式 2}$$

$$w \leftarrow w - \eta \frac{\partial E}{\partial w} \tag{式 3}$$

$$b \leftarrow b - \eta \frac{\partial E}{\partial b} \tag{式 4}$$

$$\delta = (y - t)(1 - y)y \tag{式 5}$$

$$\frac{\partial E}{\partial w} = x\delta \tag{式 6}$$

$$\frac{\partial E}{\partial b} = \delta \tag{式 7}$$

7-5-2 入力と正解

学習に用いる入力と正解を用意します。前節で解説した通り、サインカーブの一部を正解データとして使用します（リスト7.6）。

リスト7.6 入力データと正解データを用意する

In

```
%matplotlib inline

import numpy as np
import matplotlib.pyplot as plt

X = np.linspace(-np.pi/2, np.pi/2)  # 入力
T = (np.sin(X) + 1)/2  # 正解
n_data = len(T)  # データ数
```

7-5-3 順伝播と逆伝播

順伝播と逆伝播を関数として実装します。関数内では、各数式を順番に実装します（リスト7.7）。

リスト7.7 順伝播と逆伝播を関数として実装する

In

```
# --- 順伝播 ---
def forward(x, w, b):
    u = x*w + b  #（式 1）
    y = 1/(1+np.exp(-u))  #（式 2）
    return y

# --- 逆伝播 ---
def backward(x, y, t):
    delta = (y - t)*(1-y)*y  #（式 5）
    grad_w = x * delta  #（式 6）重みの勾配
    grad_b = delta  #（式 7）バイアスの勾配
    return (grad_w, grad_b)
```

7-5-4 出力の表示

出力および正解をグラフとして表示する関数を実装します。グラフの下には、エポック数と二乗和誤差を表示します（リスト7.8）。

リスト7.8 出力を表示するための関数を実装する

In

```
def show_output(X, Y, T, epoch):
    plt.plot(X, T, linestyle="dashed")  # 正解を点線で
    plt.scatter(X, Y, marker="+")  # 出力を散布図で

    plt.xlabel("x", size=14)
    plt.ylabel("y", size=14)
    plt.grid()
    plt.show()

    print("Epoch:", epoch)
    print("Error:", 1/2*np.sum((Y-T)**2))  ➡
# 二乗和誤差を表示
```

7-5-5 学習

確率的勾配降下法を使って、単一ニューロンに学習させます。データからランダムにサンプルを取り出し、順伝播、逆伝播、パラメータの更新を繰り返します。

学習の途中経過および結果は、グラフとして表示します（リスト7.9）。

リスト7.9 単一ニューロンの学習

In

```
# --- 固定値 ---
eta = 0.1  # 学習係数
epoch = 100  # エポック数

# --- 初期値 ---
w = 0.2  # 重み
b = -0.2  # バイアス

#  --- 学習 --
for i in range(epoch):

    if i < 10:  # 経過を最初の10エポックだけ表示
```

```
        Y = forward(X, w, b)
        show_output(X, Y, T, i)

    idx_rand = np.arange(n_data)  # 0からn_data-1までの整数
    np.random.shuffle(idx_rand)  # シャッフルする

    for j in idx_rand:  #ランダムなサンプル

        x = X[j]    # 入力
        t = T[j]  # 正解

        y = forward(x, w, b)  # 順伝播
        grad_w, grad_b = backward(x, y, t)  # 逆伝播
        w -= eta * grad_w  # （式 3）重みの更新
        b -= eta * grad_b  # （式 4）バイアスの更新

# --- 最後に結果を表示 ---
Y = forward(X, w, b)
show_output(X, Y, T, epoch)
```

Out

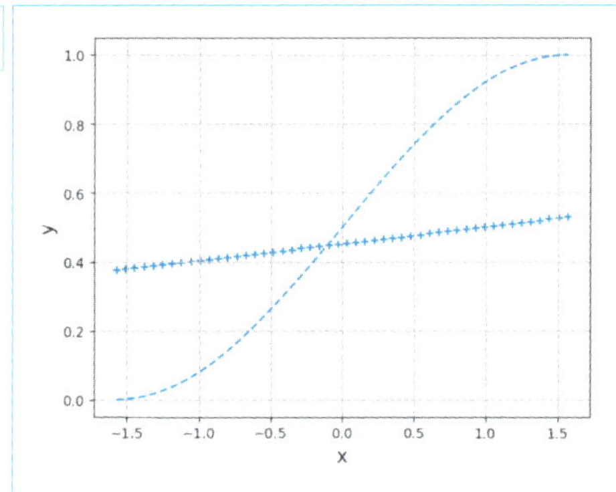


```
Epoch: 0
Error: 2.4930145826202508
```

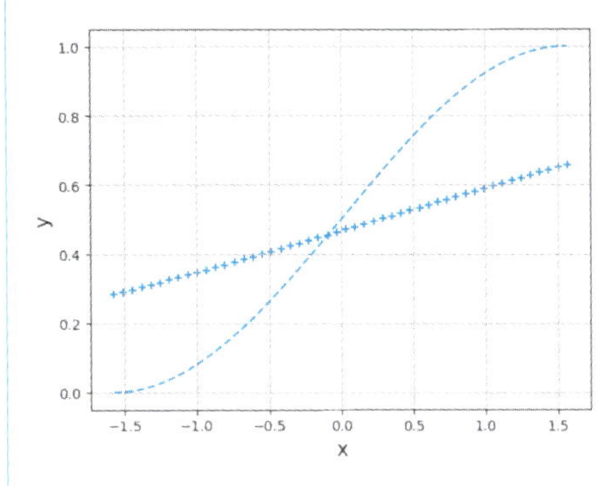


```
Epoch: 1
Error: 1.5386190905534007
```

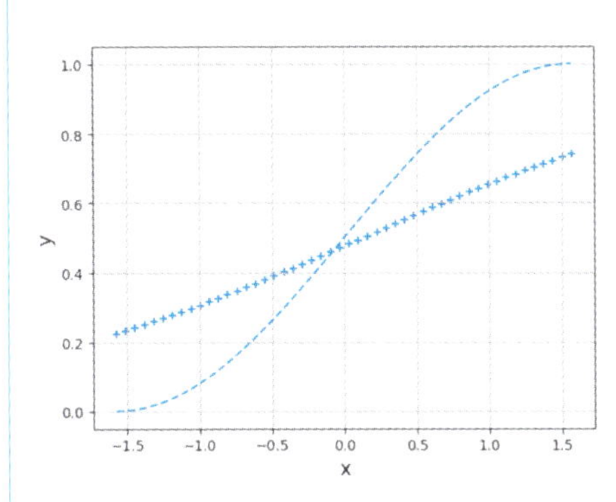


```
Epoch: 2
Error: 1.0219869373582933
```

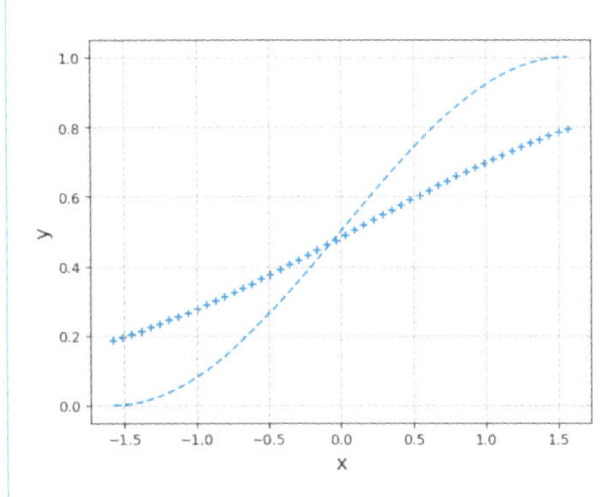


```
Epoch: 3
Error: 0.7272488558733785
```

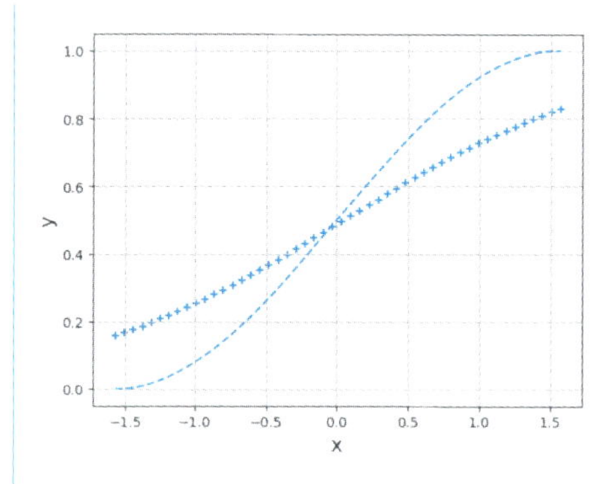


```
Epoch: 4
Error: 0.5452078479508577
```

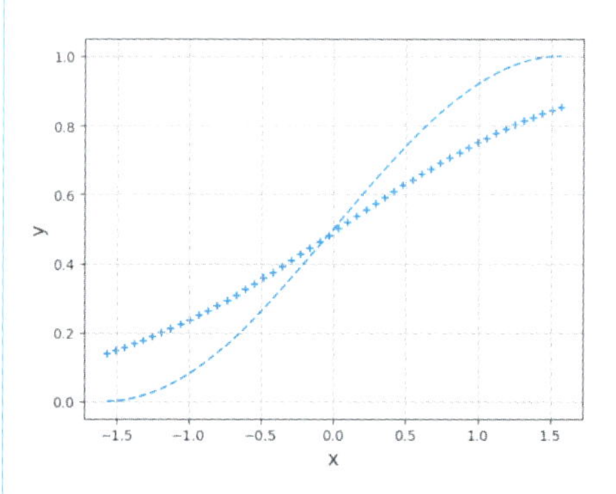


```
Epoch: 5
Error: 0.42463958804209984
```

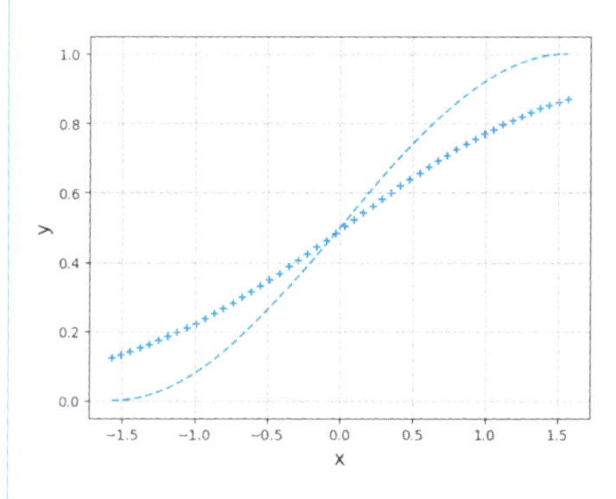


```
Epoch: 6
Error: 0.3405002318007469
```

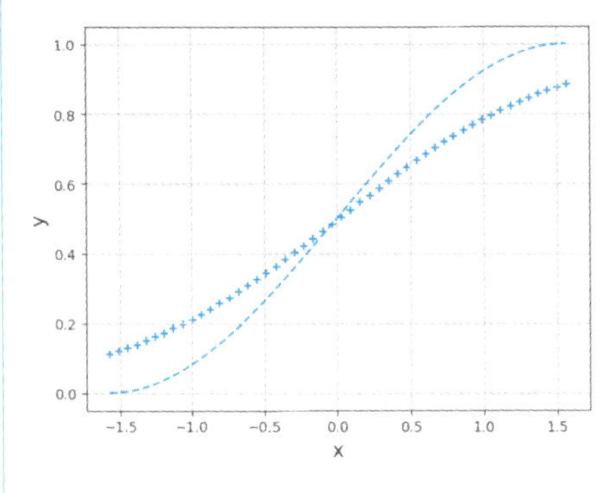


```
Epoch: 7
Error: 0.27948145188597495
```

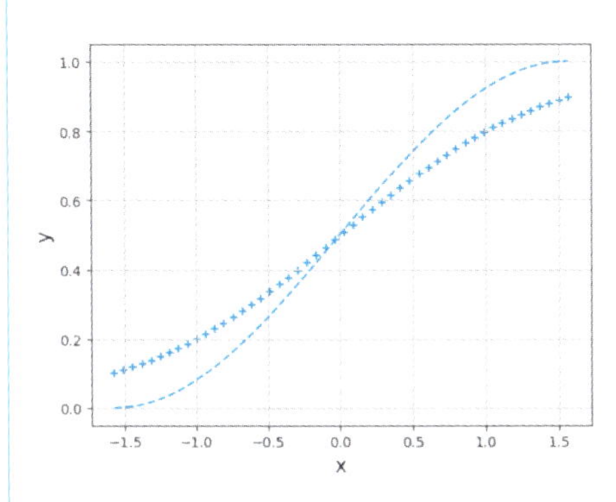


```
Epoch: 8
Error: 0.23366772796504753
```

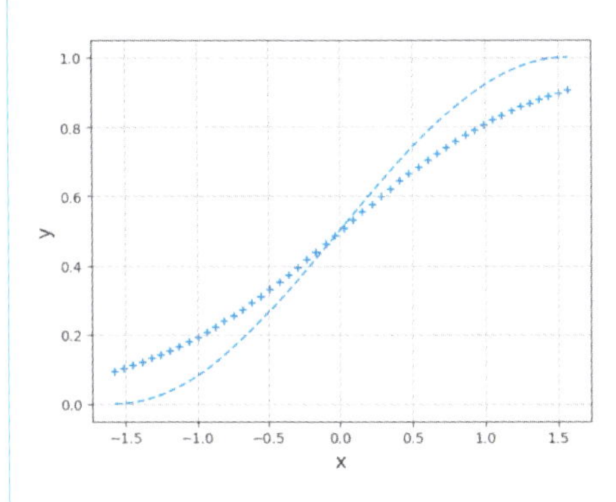


```
Epoch: 9
Error: 0.1982467886492873
```

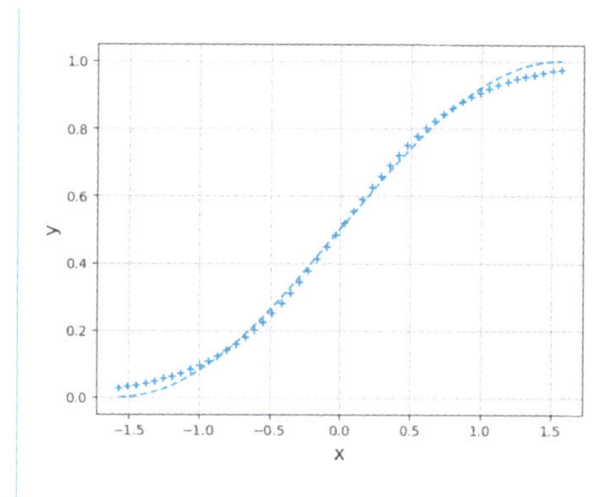


```
Epoch: 100
Error: 0.009604217922602572
```

リスト7.9 の図では点線が正解でマーカーが出力ですが、出力の曲線が次第に正解の曲線に近づいており、単一のニューロンがサインカーブを学習していることがわかります。マーカーの並びが点線に近づくにつれて、誤差は小さくなっていきます。

たとえ入力が1つしかない単一のニューロンであっても、学習能力を有していることがわかりました。ニューロンを複数集めて層にし、さらに層を複数重ねることで、ニューラルネットワークは今回の例よりもはるかに高度な学習能力を発揮するようになります。

7.6 ディープラーニングへ

本章の内容を、ディープラーニングにつなげる道筋を示します。

7-6-1 多層ニューラルネットワークの学習

単一ニューロンから、多層のニューラルネットワークへ移行しましょう。

図7.6 のようなニューラルネットワークを想定します。

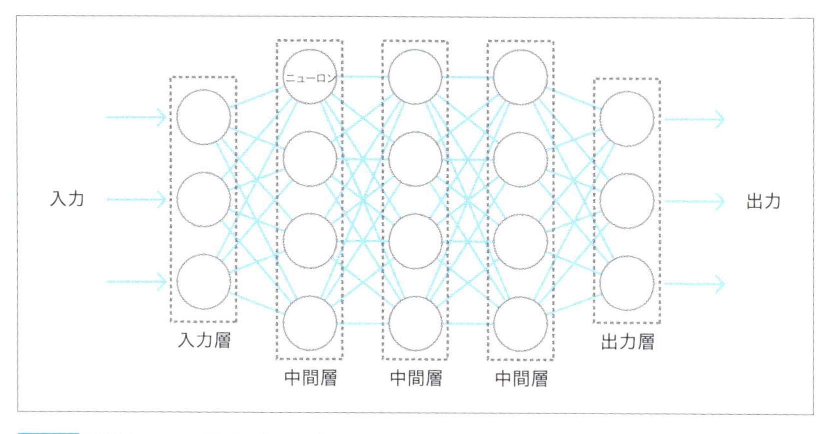

図7.6 多層のニューラルネットワーク

1つの層には複数のニューロンが含まれています。入力層で受け取った入力は、複数の中間層で処理され、出力層から出力されます。

このようなニューラルネットワークにおける順伝播と逆伝播を、数式で表します。入力層は入力を受け取るのみなので、中間層と出力層における処理のみ解説します。

まずは順伝播ですが、中間層、出力層ともに以下の式で表されます。1個のニューロンに複数の入力があるので、前節までの単一ニューロンにおける順伝播の式を、複数の入力に対応させた形になります。

$$u = \sum_{k=1}^{n} w_k x_k + b$$

$$y = f(u)$$

上記の式において、nは1つのニューロンへの入力数、x_kとw_kは入力とそれに対応する重み、bはバイアス、fは活性化関数、yはニューロンの出力です。

次に逆伝播ですが、以下の式までは中間層、出力層ともに同じ式を使います。$1 \leqq i \leqq n$とします。

$$\delta = \frac{\partial E}{\partial u} = \frac{\partial E}{\partial y}\frac{\partial y}{\partial u} \qquad \text{(式 1)}$$

$$\frac{\partial E}{\partial w_i} = x\delta \qquad \text{(式 2)}$$

$$\frac{\partial E}{\partial b} = \delta \quad \text{(式 3)}$$

複数の入力に対応するためwに添字がありますが、それ以外は（式 1）（式 2）（式 3）ともに前節までの単一ニューロンの式と同じ形をしています。

（式 1）において、右辺の$\frac{\partial y}{\partial u}$はその層の活性化関数を偏微分して求めることができますが、$\frac{\partial E}{\partial y}$に関しては中間層と出力層で求め方が異なります。

出力層では、前節までと同様に誤差関数を出力で偏微分することにより$\frac{\partial E}{\partial y}$を求めることができます。

中間層では、$\frac{\partial E}{\partial y}$を求めるのに、次の層（この層よりも1つだけ出力に近い層）の情報が必要になります。

多変数合成関数の連鎖律、および次の層の変数を使って、中間層における$\frac{\partial E}{\partial y}$を次のように求めることができます。次の層における変数には、目印として右肩に(nl)を付けます。nlはnext layerの略です。

$$\frac{\partial E}{\partial y} = \sum_{j=1}^{m} \frac{\partial E}{\partial u_j^{(nl)}} \frac{\partial u_j^{(nl)}}{\partial y} \quad \text{(式 4)}$$

ここで、mは次の層のニューロン数です。$u_j^{(nl)}$は、次の層の各ニューロンにおけるuの値です。次の層のすべてのニューロンで、

$$\frac{\partial E}{\partial u_j^{(nl)}} \frac{\partial u_j^{(nl)}}{\partial y}$$

を計算し足し合わせることで、$\frac{\partial E}{\partial y}$を求めることができます。

上記の$\frac{\partial E}{\partial u_j^{(nl)}}$に関してですが、（式 1）の$\delta$で表すことができます。

$$\delta_j^{(nl)} = \frac{\partial E}{\partial u_j^{(nl)}} \quad \text{(式 5)}$$

また、$\frac{\partial u_j^{(nl)}}{\partial y}$ですが、$y$はこのニューロンへの入力の1つであり、偏微分の結果この入力に掛ける重みのみ残ります。従って、このyに掛ける重みを$w_j^{(nl)}$とすると、$\frac{\partial u_j^{(nl)}}{\partial y}$は以下の通りになります。

$$\frac{\partial u_j^{(nl)}}{\partial y} = w_j^{(nl)} \quad \text{(式 6)}$$

(式 5)(式 6)により、(式 4)は次の形になります。

$$\frac{\partial E}{\partial y} = \sum_{j=1}^{m} \delta_j^{(nl)} w_j^{(nl)}$$

中間層においても、$\frac{\partial E}{\partial y}$を求めることができました。ここで、$w_j^{(nl)}$は次の層において$y$に掛ける重みです。

以上のように、中間層におけるニューロンのδを求めるためには、次の層における$\delta^{(nl)}$、およびyに掛ける重みを利用します。これは、逆伝播においては情報が出力から入力に向かって遡ることを意味します。

以上の逆伝播のアルゴリズムは、**バックプロパゲーション**(**誤差逆伝播法**)と呼ばれます。誤差逆伝播法を使えば、層の数が増えても出力層 → 中間層 → 中間層 →... のように層を遡ってパラメータを適切に更新することが可能です。

なお、上記の式は多層ニューラルネットワークの1つのニューロンにおける処理を表しますが、行列を使うことで層内のすべてのニューロンにおける処理を一度に実行することができます。

7-6-2 ディープラーニングへ

多層のニューラルネットワークによる学習をディープラーニングといいますが、ディープラーニングは基本的に上記のアルゴリズムで実装できます。

通常のニューラルネットワークをベースにした畳み込みニューラルネットワーク(convolutional neural network、CNN)、再帰型ニューラルネットワーク(recurrent neural network、RNN)なども、基本的には上記の誤差逆伝播法で学習することができます。

ディープラーニングをPythonで実装する際は、各層を「クラス」として実装すると便利です。クラスはオブジェクト指向における仕組みですが、クラスを利用すれば関数よりも抽象化、構造化されたコードを書くことができます。

本書はクラスを使わずに人工知能向けの数学を解説してきましたが、実用的なディープラーニングのコードを書くためにはクラスを使った方がベターでしょう。実際に、TensorFlowやPyTorchなどの有名なフレームワークにおいて、様々な機能がクラスとして実装されています。

なお、ディープラーニングについてさらに詳細に学びたい方には、拙著『はじめてのディープラーニング -Pythonで学ぶニューラルネットワークとバックプロパゲーション-』(SBクリエイティブ)をおすすめします。

Appendix

さらに学びたい方のために

さらに学びたい方のために、有用な情報を提供します。

AP1 さらに学びたい方のために

さらに学びたい方へ向けて有用な情報を提供します。

AP-1-1 コミュニティ「自由研究室 AIRS-Lab」

「AI」をテーマに交流し、創造するWeb上のコミュニティ「自由研究室 AIRS-Lab」を開設しました。

メンバーにはUdemy新コースの無料提供、毎月のイベントへの参加、Slackコミュニティへの参加などの特典があります。

- 自由研究室 AIRS-Lab
  URL https://www.airs-lab.jp/

AP-1-2 著書

著者の他の著書を紹介します。

『Google Colaboratoryで学ぶ！あたらしい人工知能技術の教科書 第2版 機械学習・深層学習・強化学習で学ぶAIの基礎技術』（翔泳社）

URL https://www.shoeisha.co.jp/book/detail/9784798186092

本書はGoogle Colaboratoryやプログラミング言語Pythonの解説からはじまりますが、チャプターが進むにつれてCNNやRNN、生成モデルや強化学習、転移学習などの有用な人工知能技術の習得へつながっていきます。

フレームワークにKerasを使い、CNN、RNN、生成モデル、強化学習などの様々なディープラーニング関連技術を幅広く学びます。

『生成AIプロンプトエンジニアリング入門 ChatGPTとMidjourneyで学ぶ基本的な手法』（翔泳社）

URL https://www.shoeisha.co.jp/book/detail/9784798181981

生成AIを利用したプロンプトエンジニアリングの実践手法について解説した書籍です。 生成AIの概要と基本的な利用手法からはじまり、文章生成AIや画像生成AIを利用したコンテンツ生成の基本的な手法を解説します。最終章では今後の生成AIの展望についても触れています。

『BERT実践入門 PyTorch + Google Colaboratoryで学ぶあたらしい自然言語処理技術』（翔泳社）

URL https://www.shoeisha.co.jp/book/detail/9784798177816

PyTorchとGoogle Colaboratoryの環境を利用して、ライブラリTransformersを使った大規模言語モデルBERTの実装方法を解説します。

Attention、Transformerといった自然言語処理技術をベースに、BERTの仕組みや実装方法についてサンプルをもとに解説します。

『PyTorchで作る！深層学習モデル・AIアプリ開発入門』（翔泳社）

URL https://www.shoeisha.co.jp/book/detail/9784798173399

PyTorchを使い、CNNによる画像認識、RNNによる時系列データ処理、深層学習モデルを利用したAIアプリの構築方法を学ぶことができます。

本書でPyTorchを利用した深層学習のモデルの構築からアプリへの実装までできるようになります。

『あたらしい脳科学と人工知能の教科書』（翔泳社）

URL https://www.shoeisha.co.jp/book/detail/9784798164953

本書は脳と人工知能のそれぞれの概要からはじまり、脳の各部位と機能を解説した上で、人工知能の様々なアルゴリズムとの接点をわかりやすく解説します。

脳と人工知能の、類似点と相違点を学ぶことができますが、後半の章では「意識の謎」にまで踏み込みます。

『はじめてのディープラーニング -Pythonで学ぶニューラルネットワークとバックプロパゲーション-』（SBクリエイティブ）

URL https://www.sbcr.jp/product/4797396812/

この書籍では、知能とは何か？ からはじめて、少しずつディープラーニングを構築していきます。人工知能の背景知識と、実際の構築方法をバランスよく学んでいきます。TensorFlowやPyTorchなどのフレームワークを使用しないので、ディープラーニング、人工知能についての汎用的なスキルが身に付きます。

『はじめてのディープラーニング2-Pythonで実装する再帰型ニューラルネットワーク, VAE, GAN-』(SBクリエイティブ)

URL https://www.sbcr.jp/product/4815605582/

本作では自然言語処理の分野で有用な再帰型ニューラルネットワーク(RNN)と、生成モデルであるVAE(Variational Autoencoder)とGAN(Generative Adversarial Networks)について、数式からコードへとシームレスに実装します。実装は前著を踏襲してPython、NumPyのみで行い、既存のフレームワークに頼りません。

AP-1-3 YouTubeチャンネル「我妻幸長のAI教室」

著者のYouTubeチャンネル「我妻幸長のAI教室」では、無料の講座が多数公開されています。また、毎週月曜日、21時から人工知能関連の技術を扱うライブ講義が開催されています。

- 我妻幸長のAI教室
  URL https://www.youtube.com/channel/UCT_HwlT8bgYrpKrEvw0jH7Q

AP-1-4 オンライン講座

著者は、Udemyでオンライン講座を多数展開しています。AI関連のテクノロジーについてさらに詳しく学びたい方は、ぜひご活用ください。

- Udemy:講師 我妻 幸長 Yukinaga Azuma
  URL https://www.udemy.com/user/wo-qi-xing-chang/

AP-1-5 著者のX/Instagramアカウント

著者のX/Instagramアカウントです。様々なAI関連情報を発信していますので、ぜひフォローしてください。

- X
  URL https://x.com/yuky_az

- Instagram

  URL https://www.instagram.com/yuky_az/

おわりに

本書『Pythonで動かして学ぶ！あたらしい数学の教科書 機械学習・深層学習に必要な基礎知識 第2版』を読んでいただきありがとうございました。

AIを学ぶことは実務、教養を含む様々な視点でとても意義のあることなのですが、多くの方にとって数学やプログラミングが学習の障壁になっている現状があります。本書により、このような障壁が少しでも下がったのであれば、著者として嬉しい限りです。

本書は、オンライン教育プラットフォーム『Udemy』で筆者が講師を務める講座「AIのための数学講座：少しずつ丁寧に学ぶ人工知能向けの線形代数/確率・統計/微分」をベースにしています。この講座の運用の経験なしに、本書を執筆することは非常に難しかったかと思います。講座を支えていただいているUdemyスタッフの皆様に、この場を借りて感謝を申し上げます。また、受講生の皆様からいただいた多くのフィードバックは、本書を執筆する上で大いに役に立ちました。講座の受講生の皆様にも、感謝を申し上げます。

また、翔泳社の宮腰様には、本書を執筆するきっかけを与えていただいた上、完成へ向けて多大なるご尽力をいただきました。改めてお礼を申し上げます。

皆様の今後の人生において、本書の内容が何らかの形でお役に立てば、著者として嬉しい限りです。

2025年5月吉日

我妻幸長

INDEX

記号・数字

A/B/C

D/E/F

G/H/I

J/K/L

M/N/O

P/Q/R

か

さ

た

な

は

ま

や

ら

PROFILE 著者プロフィール

我妻 幸長（あづま・ゆきなが）

「ヒトとAIの共生」がミッションの会社、SAI-Lab株式会社（URL https://sai-lab.co.jp）の代表取締役。AI関連の教育と研究開発に従事。
東北大学大学院理学研究科修了。理学博士（物理学）。
法政大学デザイン工学部兼任講師。
Web上のコミュニティ「自由研究室 AIRS-Lab」を主宰。
オンライン教育プラットフォームUdemyで、15万人以上にAIを教える人気講師。
複数の有名企業でAI技術を指導。
著書に、『はじめてのディープラーニング』『はじめてのディープラーニング2』（SBクリエイティブ）、『Google Colaboratoryで学ぶ！あたらしい人工知能技術の教科書 第2版』『生成AIプロンプトエンジニアリング入門』『あたらしい脳科学と人工知能の教科書』『PyTorchで作る！深層学習モデル・AIアプリ開発入門』『BERT実践入門』（翔泳社）。共著に『No.1スクール講師陣による 世界一受けたいiPhoneアプリ開発の授業』（技術評論社）。

- X
  @yuky_az

- SAI-Lab
  URL https://sai-lab.co.jp

装丁・本文デザイン　大下 賢一郎
装丁イラスト　iStock / Pure Imagination
DTP　株式会社シンクス
校正協力　佐藤 弘文

Python（パイソン）で動かして学ぶ！
あたらしい数学の教科書 第2版
機械学習・深層学習に必要な基礎知識

2025年 6月 5日　初版第1刷発行

著　者　我妻 幸長（あづま・ゆきなが）
発行人　臼井 かおる
発行所　株式会社翔泳社（https://www.shoeisha.co.jp）
印刷・製本　株式会社ワコー

本書へのお問い合わせについては、iv ページに記載の内容をお読みください。
造本には細心の注意を払っておりますが、万一、乱丁（ページの順序違い）や落丁（ページの抜け）がございましたら、お取り替えいたします。03-5362-3705 までご連絡ください。

ISBN978-4-7981-8566-8　Printed in Japan